COLLECT

DU MÊME AUTEUR

Aux Éditions Gallimard

LA FERME AFRICAINE

OMBRES SUR LA PRAIRIE

LES VOIES DE LA VENGEANCE

CONTES D'HIVER

NOUVEAUX CONTES D'HIVER

LES CHEVAUX FANTÔMES et autres contes

LETTRES D'AFRIQUE (1914-1931)

LES FILS DE ROIS et autres contes

Aux Éditions Stock

SEPT CONTES GOTHIQUES

Karen Blixen

Le dîner de Babette

Traduit du danois
par Marthe Metzger

Gallimard

Karen Blixen est née en 1885 à Rungstedlund, près de Copenhague, dans une famille aristocratique. Son père, le capitaine Wilhelm Dinesen, avait écrit de célèbres *Lettres de chasse.* Karen Blixen étudie les Beaux-Arts à Copenhague, suit des cours de peinture à Paris, en 1910, et à Rome, en 1912. Elle épouse en 1914 son cousin, le baron Bror Blixen Finecke, dont elle divorcera en 1922.

De 1914 à 1931, elle habite au Kenya, où elle est propriétaire d'une ferme. Cette partie de sa vie lui inspire son livre le plus connu, *La ferme africaine.* Elle avait débuté dès 1907 en écrivant des récits dans un journal littéraire danois, sous le pseudonyme d'Osceola. Elle signera ses livres de divers noms : Isak Dinesen, Pierre Andrézel, Karen Blixen. Et elle écrira tantôt en anglais, tantôt en danois.

Loin du côté vécu et presque autobiographique de *La ferme africaine,* l'autre versant de son œuvre est marqué par des œuvres d'imagination fantastique et baroque, comme les *Sept contes gothiques* et les *Contes d'hiver.*

Tel est cet auteur, à part dans son pays et dans son temps. Karen Blixen est morte en 1962. Quand il reçut le prix Nobel, Ernest Hemingway, qui a chanté lui aussi les paysages de l'Est africain, déclara qu'il regrettait qu'on ne l'ait pas plutôt donné à l'auteur de *La ferme africaine.*

Titre original :

ANECDOTES OF DESTINY (ISAK DINESEN)

Le plongeur

C'est Mira Jama qui a raconté cette histoire.

« Un jeune étudiant en théologie, du nom de Saufe, vivait à Chiraz. Il était brillamment doué et avait le cœur pur. En lisant et relisant le Coran, il se prit à penser aux anges avec une intensité telle que son âme vivait en leur compagnie, bien plus qu'en celle de sa mère, de ses frères, de ses camarades d'études ou de tout autre habitant de Chiraz.

« Il ne cessait de se répéter les paroles du livre sacré : « ... par les anges, qui entraînent les « âmes des hommes avec violence; par ceux qui « attirent les âmes des autres avec douceur; par « ceux qui planent dans l'air sur l'ordre de « Dieu; par ceux qui précèdent et font pénétrer « les justes dans le paradis; et par ceux qui, « soumis à Dieu, dirigent les affaires de ce « monde en subordonnés. »

« Le trône de Dieu, se disait-il, est sans doute « placé trop haut pour que l'œil de l'homme « puisse l'atteindre, et l'âme humaine tremble « devant lui. Mais les anges radieux se meuvent « entre les espaces azurés de Dieu et nos som- « bres maisons, nos sombres écoles. Nous

« devrions être à même de les voir et d'entrer
« en contact avec eux. »

« De toutes les créatures, se disait Saufe, les
« oiseaux doivent être celles qui ressemblent le
« plus aux anges. L'Ecriture ne dit-elle pas :
« Tout ce qui se meut dans le ciel et sur la terre
« adore Dieu, et les anges font de même. »

« Il est certain que les oiseaux se meuvent à la fois dans le ciel et sur la terre.

« N'est-il pas dit plus loin : « Ils ne sont point
« gonflés d'orgueil pour dédaigner de servir; ils
« chantent; ils font ce qui leur est com-
« mandé... » Les oiseaux font de même sans aucun doute. Si nous essayons d'imiter les oiseaux en tout, nous serons plus semblables aux anges que nous ne le sommes à présent.

« Mais, en plus de ces choses, les oiseaux sont pourvus d'ailes. Il serait bon que les hommes fabriquent des ailes à leur usage, pour les élever jusqu'aux régions où règne une brillante et éternelle lumière.

« Un oiseau qui développerait jusqu'à son extrême limite la puissance de ses ailes pourrait croiser, ou dépasser, un ange sur un des sentiers sauvages de l'éther. Peut-être l'aile d'une hirondelle a-t-elle effleuré le pied d'un ange? ou encore l'œil de l'aigle, au moment où les forces de l'oiseau étaient presque épuisées, a-t-il rencontré le regard paisible d'un de ces messagers de Dieu?

« Et Saufe prit une résolution :

« J'emploierai tout mon temps et toutes mes connaissances à chercher le moyen de construire des ailes pour mes semblables. »

« Il décida, en conséquence, de quitter Chiraz pour étudier les mœurs des créatures ailées.

« Jusqu'à présent, il avait subvenu aux besoins de sa mère et de ses petits frères, en instruisant les fils de gens riches, et en copiant des manuscrits anciens. Sa famille objecta qu'elle serait réduite à la pauvreté sans lui. Mais il affirma que les résultats auxquels il parviendrait un jour les dédommageraient des privations de l'heure présente.

« Ses maîtres, qui avaient prévu pour lui une belle carrière, vinrent le voir pour lui faire comprendre que si le monde subsistait depuis si longtemps sans que les hommes puissent communiquer avec les anges, il devait sans doute en être ainsi, et il en serait également ainsi dans l'avenir.

« Le jeune Softa les contredit respectueusement :

« – Jusqu'à ce jour, dit-il, personne n'a vu les oiseaux migrateurs s'en aller vers des contrées chaudes qui n'existent pas, ou des rivières se frayer une route à travers les rochers pour s'écouler dans un océan introuvable. Dieu ne crée pas la nostalgie ou l'espoir, sans qu'une réalité ne réponde à cette nostalgie ou à cet espoir. La nostalgie que nous éprouvons est notre garantie. Heureux ceux qui ont le mal du pays, car ils rentrent chez eux. A plus forte raison, s'écria-t-il, emporté par la force de sa pensée, combien le monde des hommes se porterait-il mieux s'il pouvait consulter les anges, et apprendre d'eux le plan de l'univers, que les anges, eux, lisent facilement, parce qu'ils le voient d'en haut !

« Sa foi dans son entreprise était si forte qu'à la fin de l'entretien les maîtres renoncèrent à le persuader d'y renoncer. Ils se convainquirent, en l'écoutant, que la renommée de leur élève pourrait bien, dans l'avenir, les rendre eux-mêmes célèbres.

« Après cela, le jeune Softa vécut pendant un

an avec les oiseaux. Il se fit un lit dans les hautes herbes, où la caille gazouille, il grimpa dans les vieux arbres, où les tourterelles et les grives construisent leurs nids. Il se fit un siège dans le feuillage et y resta immobile au point que sa présence ne troubla aucun de ses petits compagnons ailés. Il parcourut de hautes montagnes et voisina, juste au-dessous de la limite des neiges, avec un couple d'aigles, dont il observa les allées et venues.

« Revenu à Chiraz, ayant acquis beaucoup de savoir et d'expérience, il se mit à travailler à la fabrication de ses ailes.

« Il lut, dans le Coran : « Béni soit Dieu, qui a « fait les anges et les a pourvus de deux, de « trois, ou de quatre paires d'ailes... » et il décida de faire trois paires d'ailes à son usage : les unes devant être fixées aux épaules, les autres à la taille et les dernières aux pieds. Au cours de ses pérégrinations, il avait rassemblé plusieurs centaines de plumes provenant d'ailes d'aigles, de cygnes, de busards. Il s'enferma avec son butin et travailla avec tant de zèle qu'il ne vit plus personne et ne parla plus à personne. Mais il chantait en faisant sa besogne; les passants s'arrêtaient pour l'écouter et disaient :

« – Le jeune Softa loue le Seigneur et accomplit ce qui lui est demandé!

« Mais, quand il eut terminé la première paire d'ailes, qu'il les eut essayées et eut éprouvé leur puissance élévatoire, il ne put garder le secret de son triomphe et en parla à ses amis.

« Au début, les théologiens et les hauts fonctionnaires de Chiraz n'eurent que sourires lorsqu'on parlait des hauts faits de Softa; mais, quand la nouvelle s'en répandit davantage et fut confirmée par nombre de jeunes gens, elle effraya les anciens. Et ils se dirent les uns aux autres :

« – En vérité, ce garçon ailé rencontre les anges et entre en relations avec eux. Le peuple de Chiraz, selon son habitude lorsque se produit un événement extraordinaire, en perd la tête de surprise et de joie. Dieu sait quelles choses nouvelles et révolutionnaires les anges ne vont-ils pas lui raconter... Car, après tout, ajoutèrent ceux qui s'exprimaient de la sorte, il est possible qu'il y ait des anges au ciel.

« Ils réfléchirent à la question, et le plus âgé d'entre eux, un ministre du roi, du nom de Mirzah Aghaï, s'exprima ainsi :

« – Ce jeune homme est dangereux d'autant plus qu'il fait de grands rêves; mais il est inoffensif, et il sera facile à manier, car il a négligé d'observer notre monde réel, où l'on examine et vérifie la valeur des rêves. Nous allons, en une seule leçon, lui prouver l'existence des anges et l'inanité de cette existence. Ou bien n'y aurait-il pas de jeunes femmes à Chiraz?

« Le lendemain, Mirzah Aghaï fit appeler l'une des danseuses du roi du nom de Thusmu et lui expliqua tout ce qu'il jugeait bon qu'elle sache au sujet de Softa, en promettant de récompenser son obéissance. Mais, si elle ne réussissait pas dans sa tâche, une autre jeune danseuse prendrait sa place dans la troupe des danseuses du roi, aux fêtes de la cueillette des roses pour la fabrication de l'essence.

« C'est ainsi qu'une belle nuit, alors que Softa était monté sur le toit de sa maison pour contempler les étoiles et calculer le temps qu'il mettrait en se rendant de l'une à l'autre, il entendit une voix douce prononcer son nom derrière lui. Se retournant, il vit se dresser toute droite au bord du toit, ses deux pieds étroitement serrés l'un contre l'autre, une radieuse apparition, vêtue d'une robe d'or et d'argent.

« Le jeune homme, l'esprit tout occupé par les anges, ne douta pas de la nature de l'apparition; il ne fut pas surpris à sa vue, mais la joie le submergea.

« Il jeta un regard vers le ciel, espérant y découvrir la trace lumineuse du vol des anges, cependant qu'en bas on ôtait l'échelle qui avait permis à la danseuse de monter sur le toit.

« Softa tomba à genoux devant elle.

« Elle pencha doucement la tête vers lui et le regarda de ses grands yeux noirs, aux cils épais : « Vous m'avez portée longtemps dans votre « cœur, mon serviteur Saufe, murmura-t-elle; et « maintenant, je suis venue inspecter cette « petite demeure qui est mienne. Le temps que « je passerai dans votre maison dépendra de « votre humilité et de votre empressement à « exécuter ma volonté. »

« En disant ces mots, elle s'assit, jambes croisées, sur le toit tandis que le jeune homme restait toujours à genoux, et ils eurent la conversation suivante.

« Elle dit : « Nous, les anges, n'avons en « réalité pas besoin d'ailes pour nous mouvoir « entre ciel et terre : nos membres nous suffi- « sent. Si nous devenons amis, vous et moi, il en « sera de même pour vous et vous pouvez aussi « bien détruire les ailes auxquelles vous travail- « lez. »

« Tremblant d'extase, il lui demanda comment pareil vol pouvait être exécuté, contre toutes les lois de la science.

« Elle eut un rire moqueur, qui résonna comme une clochette de cristal : « Vous autres, « hommes, vous aimez les lois et les arguments « et vous avez grande confiance dans les paroles

« marmottées dans vos barbes. Mais je vous « convaincrai que nous avons une bouche desti- « née à de plus suaves entretiens. Je vous « apprendrai comment les anges et les hommes « arrivent à se comprendre parfaitement sans « user d'arguments, mais d'une manière cé- « leste. »

« C'est ce qu'elle fit.

« Le bonheur de Softa fut si grand pendant un mois que son cœur céda à la volupté. Il en oublia son œuvre en s'abandonnant de plus en plus à une compréhension céleste des choses. Il disait à Thusmu : « Je vois maintenant combien « l'ange Eblis avait raison de dire à Dieu : « Je « suis bien supérieur à Adam, car tu l'as formé « avec de l'argile, alors que moi, tu m'as tiré du « feu. »

« Et, citant derechef l'Ecriture, il soupira : « Celui qui est l'ennemi des anges est l'ennemi « de Dieu. »

« Softa garda l'ange chez lui, car Thusmu lui avait dit que la vue de sa beauté aveuglerait le peuple non initié de Chiraz. Pendant la nuit seulement, ils montaient tous deux sur le toit de la maison et contemplaient la nouvelle lune.

« Or, il advint que la jeune danseuse fut prise d'un grand amour pour le théologien, car il avait un beau visage et sa vigueur intacte faisait de lui un amant parfait. Thusmu finit par le croire capable de tout. Sa conversation avec le vieux ministre lui avait appris qu'il voyait dans l'invention de Softa un péril pour lui-même, ses collègues et l'Etat, et elle pensa qu'elle aurait plaisir à voir périr le ministre, ses collègues et l'Etat. Son cœur devenait presque aussi tendre que celui de son jeune ami.

« Quand la lune fut pleine et baigna la ville entière de sa clarté, les deux amoureux s'assirent ensemble sur le toit. Softa promena sa main sur le corps de Thusmu et dit : « Depuis que je « vous ai rencontrée, mes mains ont pris une vie « personnelle; je comprends que Dieu, en me « donnant des mains, m'a accordé une aussi « grande preuve d'amour que s'il m'avait donné « des ailes. » Ce disant, il éleva ses deux mains en l'air et les contempla. « Ne blasphémez pas! « fit-elle en poussant un petit soupir. Ce n'est « pas moi qui suis un ange, mais c'est vous et, « en vérité, vos mains ont acquis une force et « une vie merveilleuses. Donnez-m'en la preuve « une fois de plus, et puis demain vous me « montrerez les grandes choses que vous savez « accomplir avec ces mains. »

« Pour lui plaire, il l'emmena, entièrement voilée, jusqu'à son atelier. Il s'aperçut alors que les rats avaient dévoré les plumes qui soutenaient le vol des aigles; les cadres de ses ailes étaient brisés et leurs débris éparpillés sur le sol.

« Ce spectacle rappela à Softa le temps où il travaillait à son œuvre.

« Mais la danseuse pleurait :

« – Je ne savais pas, s'écria-t-elle, que c'était à *cela* qu'il voulait aboutir. Mirzah Aghaï est véritablement un méchant homme.

« Tout surpris, Softa lui demanda ce qu'elle entendait par ces mots, et, dans son désespoir et son indignation, elle lui avoua tout :

« – Et sache-le, mon bien-aimé, je ne sais pas voler, bien qu'on me dise que lorsque je danse je suis d'une légèreté extraordinaire. Ne sois pas fâché contre moi, mais songe que Mirzah Aghaï et ses amis sont des gens puissants, contre lesquels une pauvre fille ne peut rien. Ils sont riches, et j'aime les jolies choses. On ne peut attendre d'une danseuse qu'elle soit un ange.

« Après avoir écouté Thusmu, Softa tomba face contre terre et ne dit plus un mot.

« Thusmu s'assit à côté de lui, et ses larmes inondaient les cheveux du jeune homme qu'elle enroulait autour de ses doigts.

« – Tu es admirable, dit-elle. Auprès de toi tout est grand et doux, tes paroles et tes actes ne peuvent être que d'inspiration divine. Je t'aime, cesse donc de t'affliger...

« Il releva la tête et regarda la danseuse :

« – Ce sont les anges à l'exclusion de toute autre créature que Dieu a chargés de veiller sur les flammes de l'enfer, dit-il.

« Elle reprit :

« – Personne ne récite les versets du Livre sacré aussi bien que toi.

« Il la regarda encore et ajouta :

« – Et si tu voyais comment les anges font mourir les infidèles. Ils les frappent au visage et leur disent : « Goûtez aux tourments du feu : « Voici ce que vous endurerez à cause de l'œu- « vre de vos mains. »

« Après un moment, Thusmu dit :

« – Peut-être pourras-tu encore réparer les ailes et elles seront aussi bonnes qu'auparavant.

« Il répondit :

« – Je ne peux pas les réparer maintenant que ta besogne est faite. Il faut t'en aller, car il serait dangereux pour toi de rester avec moi. Mirzah Aghaï et ses amis sont puissants, et tu dois danser à la fête de la cueillette des roses, dont on fera de l'essence.

« – Oublieras-tu Thusmu? dit-elle.

« – Non.

« – Viendras-tu me voir danser?

« – Si je le peux.

« – J'espérerai toujours te voir venir, dit-elle gravement, car sans espoir on ne peut danser.

« A ces mots, elle s'en alla toute triste.

« Saufe, ne pouvant plus rester chez lui, laissa la porte de son atelier grande ouverte et se mit à parcourir la ville, mais il ne pouvait pas non plus rester en ville, et il se rendit dans les bois et les campagnes.

« Les bois et les campagnes lui furent insupportables à cause du chant des oiseaux. Il revint donc bientôt errer dans les rues. Parfois il s'arrêtait devant la boutique d'un marchand d'oiseaux, observant longuement les oiseaux dans leurs cages.

« Quand ses amis l'abordaient, il ne les reconnaissait pas. Mais quand les gamins des rues se moquaient de lui et criaient : « Voyez donc ce « Softa, qui a pris Thusmu pour un ange! » il s'arrêtait, les regardait et répondait : « Je le « crois encore : ce n'est pas ma foi dans la « danseuse que j'ai perdue, mais ma foi dans les « anges. Aujourd'hui je suis incapable de me « rappeler comment dans ma jeunesse je me « représentais les anges. Celui qui est ennemi « des anges est ennemi de Dieu; toute espérance « lui est ôtée. Je n'ai plus d'espoir; sans espoir il « est impossible de voler. C'est ce qui me prive « de tout repos. »

« L'infortuné Softa vécut de la sorte pendant une année.

« Moi-même, quand j'étais petit garçon, je l'ai rencontré dans les rues, vêtu d'un manteau noir râpé, et enveloppé du vêtement, plus noir encore, de la complète solitude.

« Au bout de l'année, il disparut, et on ne le vit plus à Chiraz. »

« Ceci, fit Mira Jama, est la première partie de mon histoire. »

Mais bien des années plus tard, lorsque, jeune homme, je commençais à raconter des histoires dans l'intention de réjouir le monde et de le rendre plus sage, il m'arriva de longer les côtes sablonneuses jusqu'aux villages des pêcheurs de perles, pour apprendre les aventures de ces hommes et les faire miennes. Car bien des choses arrivent à ceux qui plongent jusqu'au fond de la mer.

Les perles sont elles-mêmes des objets mystérieux, et qui appellent l'aventure. Si vous suivez la carrière d'une seule perle, vous y trouverez la matière d'une centaine de contes. Et les perles sont semblables aux héroïnes des poètes : la maladie se transforme chez elles en beauté. Elles sont à la fois transparentes et opaques. Les secrets des abîmes sont apportés à la lumière du jour pour plaire à des jeunes femmes, qui reconnaîtront en eux les plus profonds secrets de leur propre cœur.

Plus tard, au cours de ma vie, j'ai répété à des rois, avec beaucoup de succès, les histoires qui m'ont été racontées d'abord par ces humbles et simples pêcheurs.

Un nom revenait si souvent dans leurs récits que, pris de curiosité, je leur demandai de m'en dire davantage sur la personne qui portait ce nom.

Ils me racontèrent alors que cet homme avait été célèbre parmi eux à cause de son audace et de la chance inexplicable qui le favorisait.

Au fait, le nom d'Elnazred, qu'ils lui avaient donné dans leur dialecte, veut dire : celui qui a du succès.

Il plongeait dans les plus grandes profondeurs et y restait plus longtemps que tous les autres pêcheurs; et il ne manquait jamais de rapporter ces huîtres qui contiennent les plus belles perles.

Dans les villages de pêcheurs de perles, on croyait qu'il s'était fait un ami dans les eaux profondes – peut-être une blonde sirène? peut-être quelque démon de la mer? – et que cet ami lui servait de guide.

Tandis que les autres pêcheurs étaient exploités par les sociétés commerciales et restaient pauvres leur vie durant, l'homme heureux acquit une jolie fortune personnelle, acheta à l'intérieur des terres une maison et un jardin, où il installa sa mère, et maria ses frères. Mais il garda pour son propre usage une petite cabane sur la grève.

Bien qu'on lui attribuât un caractère démoniaque, il semblait être un homme paisible sur la terre ferme et dans la vie journalière.

Je suis un poète, et ce que me racontaient les pêcheurs me rappelait certains récits entendus bien des années auparavant. Je résolus d'aller voir cet homme si favorisé par le succès et de le forcer à me parler de lui-même.

D'abord je le cherchai en vain dans sa charmante maison et son jardin; puis, par une belle nuit, je suivis la grève jusqu'à sa cabane. La pleine lune brillait au ciel. Une à une de longues vagues grises venaient mourir à mes pieds. Tout, aux alentours, paraissait vouloir garder un secret. Je promenais mes regards sur le ciel et la terre, sentant que j'allais entendre et composer moi-même une très belle histoire.

L'homme que je cherchais n'était pas dans sa cabane : assis sur le sable, il fixait la mer du regard et, de temps en temps, jetait un caillou dans les flots. La lune l'éclairait : je vis que c'était un bel homme, un peu gros. Toute son attitude exprimait l'harmonie et le bonheur. Je le saluai avec respect, lui dis mon nom et lui expliquai que j'étais parti me promener dans cette claire et tiède nuit.

Il me rendit mon salut courtoisement et avec bienveillance, puis il m'apprit qu'il me connaissait déjà de réputation comme un jeune homme désireux de se perfectionner lui-même dans l'art du conteur. Il m'invita ensuite à m'asseoir sur le sable à côté de lui. Pendant quelques instants, il parla de la lune et de la mer puis il s'arrêta un instant et fit observer qu'il y avait longtemps qu'il n'avait plus entendu raconter une histoire. Ne voudrais-je pas lui en conter une, tandis que nous étions agréablement assis l'un près de l'autre, pendant cette nuit claire et tiède?

J'étais impatient de prouver mes talents, et d'ailleurs convaincu que je servais ainsi mes projets; aussi je cherchai dans mes souvenirs quelle histoire intéressante je pourrais bien raconter. Et tout à coup, sans que je sache pourquoi, l'histoire de Softa Saufe me revint en mémoire, et je commençai d'une voix assourdie qui s'accordait avec la clarté de la lune et le murmure des vagues : « Il y avait à Chiraz un jeune étudiant en théologie... »

L'homme heureux m'écoutait, l'air tranquille et attentif. Mais, quand j'en vins au passage où il est question des amoureux sur le toit de la maison et que je prononçai le nom de la danseuse Thusmu, il éleva ses mains en l'air et les examina.

J'avais eu beaucoup de peine à imaginer cette jolie scène au clair de lune; elle était chère à mon cœur de poète. Et voici que je reconnaissais le geste de Softa.

Surpris et effrayé au plus haut point, je m'écriai :

– C'est vous qui êtes Softa Saufe de Chiraz!

– Oui! dit l'homme heureux.

Un poète est pris d'un tremblant effroi en s'apercevant que son histoire est vraie. Je n'étais, pour ma part, qu'un jeune garçon novice dans son art. Mes cheveux se dressèrent sur ma tête et pour un peu je me serais enfui; mais quelque chose dans la voix de l'homme heureux me retint à ma place.

– Il fut un temps, dit-il, où le sort de ce Softa Saufe, dont vous venez de me parler, me tenait fort à cœur. Aujourd'hui je l'ai presque oublié; mais je suis content de voir qu'il est le sujet d'une histoire. C'est à quoi il était destiné sans doute, et dans l'avenir je le laisserai avec confiance dans cette histoire. Continuez votre récit, Mira Jama, vous qui êtes un conteur, et faites-m'en connaître la fin.

Sa requête me fit trembler, mais, une fois de plus, il m'insuffla par son attitude le pouvoir de continuer. Au début, il me sembla qu'il me faisait ainsi un grand honneur, mais, à mesure que je parlais, je sentis que l'honneur était bien pour lui.

L'orgueil m'emplissait le cœur. Je fis un écrit fort émouvant et, là, sur le sable fin, alors que nous étions seuls, Softa et moi, sous le disque clair de la lune, les larmes baignèrent mon visage, aux derniers mots que je prononçai.

L'homme heureux me réconforta, me priant de ne pas prendre un conte trop à cœur; et, quand j'eus retrouvé l'usage de ma voix, je le suppliai de me dire ce qui lui était arrivé après son départ de Chiraz. Car ses expériences au fond de la mer, et la chance qui lui avait valu fortune et renommée parmi les hommes, feraient à coup sûr l'objet d'une histoire aussi captivante et plus gaie que celle que je lui avais racontée.

Les princes, les grandes dames et les danseuses aiment les contes tristes et il en est de même des mendiants, qui se tiennent près des murs de la ville. Pour moi, cependant, j'ambitionnais d'être un conteur apprécié par tout le monde. Or, les hommes d'affaires et leurs femmes réclament une histoire qui finit bien.

L'homme heureux garda le silence pendant quelques instants. Enfin, il dit :

– Ce qui m'arriva après mon départ de Chiraz ne mérite pas le nom d'histoire. Je suis célèbre parmi mes semblables parce que je suis capable de rester au fond de la mer plus longtemps qu'eux. Ce don, si vous voulez, je l'ai hérité du Softa dont vous m'avez parlé; mais ce don ne constitue pas le sujet d'un récit.

« Les poissons ont été bons pour moi : ils ne trahissent personne. C'est tout ce que je puis vous dire. »

Pourtant, après un long silence, il poursuivit :

– Pour vous remercier de votre récit, et aussi pour ne pas décourager un jeune poète, je vous ferai connaître ce qui m'est arrivé après avoir quitté Chiraz, bien que cela ne soit pas une histoire.

Je l'écoutai, et il parla ainsi :

– Je néglige les explications concernant les circonstances de mon départ de Chiraz et de mon arrivée ici, et je ne vous citerai mes expériences qu'à partir de celles qui plairont aux hommes d'affaires et à leurs épouses. Car, la première fois que je plongeai dans les flots, à la recherche d'une certaine perle rare, que je jugeais très précieuse à cette époque, une vieille morue portant des lunettes de corne me prit en charge. Jadis, alors qu'elle était encore tout petit poisson, elle avait été prise dans le filet de deux vieux pêcheurs. Pendant une nuit entière elle était restée dans le fond de la barque, écoutant la conversation de ces hommes, qui semblent avoir été pieux et pleins de sagesse. Mais, au matin, quand on releva le filet pour le porter sur le rivage, la morue passa au travers des mailles et fila vers le large.

« Depuis lors, elle sourit lorsque les autres poissons se méfient des hommes, car elle prétend que lorsqu'un poisson connaît la manière, il parvient sans peine à en faire façon.

« Elle-même en est arrivée au point de s'intéresser à la nature et aux usages des hommes, et souvent elle fait une conférence sur ce sujet à un auditoire de poissons; elle aime aussi en parler avec moi. Je lui dois beaucoup, car elle occupe une situation éminente dans la mer et, en tant que son protégé, j'ai été reçu partout. Je lui suis redevable d'une grande partie de la fortune et de la renommée qui ont fait de moi un homme heureux, comme vous savez.

« Je lui dois plus encore, car, au cours de nos longs entretiens, elle m'a enseigné la philosophie par laquelle j'ai trouvé le repos. Voici sa théorie :

« – Les poissons, dit-elle, sont de toutes les créatures celles qui sont le plus complètement et le plus exactement faites à l'image du Seigneur. Toutes choses concourent à leur bien, et nous en pouvons conclure qu'ils sont en accord parfait avec le plan de Dieu.

« L'homme se meut sur un seul plan et reste attaché à la terre. Celle-ci ne le porte que sur l'étroit espace où il pose la plante de ses pieds. Il est forcé de supporter son propre poids, sous lequel il soupire. D'après ce que j'ai entendu dire par mes vieux pêcheurs, il lui faut escalader avec peine les montagnes de la terre, d'où il dégringole souvent pour être accueilli brutalement par le sol dur.

« Les oiseaux eux-mêmes, qui ont reçu de fortes ailes en partage, sont trahis par elles lorsqu'ils ne les déploient pas assez dans l'air, et s'abattent sur la terre.

« Nous, les poissons, nous sommes soutenus, maintenus de tous côtés. Nous nous appuyons harmonieusement sur notre élément, nous pouvons nous déplacer dans tous les sens, et de quelque côté que nous nous dirigions, les eaux puissantes, conscientes de notre valeur, changent de forme avec respect.

« Nous n'avons pas été gratifiés de mains, de sorte qu'il nous est impossible de rien construire et que nous sommes dépourvus de la vaine ambition de modifier quoi que ce soit à l'univers du Seigneur.

« Nous ne semons pas, nous ne nous épuisons pas en vains travaux, par conséquent aucune de nos estimations ne s'avère erronée, et aucun de nos espoirs n'est déçu.

« Les plus grands d'entre nous ont atteint les régions de la parfaite obscurité. Et nous déchiffrons sans peine le plan du monde, parce qu'il nous apparaît vu d'en bas.

« Nos pérégrinations dans les eaux nous enrichissent d'assez d'expériences bien propres à démontrer la position privilégiée que nous occupons et à maintenir notre esprit communautaire.

« L'homme n'ignore pas ce sentiment, qui tient même une place importante dans son histoire, mais il ne le comprend qu'obscurément en raison de sa conception puérile des choses.

« Rappelez-vous ce que je vous dis là : lorsque Dieu créa le ciel et la terre, la terre fut pour lui une source d'amère déception. L'homme était capable de tomber; il tomba presque tout de suite, et avec lui tomba tout ce qui était sur la terre ferme.

« Et le Seigneur se repentit d'avoir créé l'homme et les bêtes des champs sur la terre, ainsi que les oiseaux dans les airs. Mais les poissons ne tombèrent pas, et ne tomberont jamais, car sur quoi, et d'où, tomberions-nous ?

« De sorte que le Seigneur considéra les poissons avec amitié, et il se sentit réconforté à leur vue, car, de toutes ses créatures, ils étaient les seuls à ne l'avoir pas déçu.

« Il résolut alors de récompenser les poissons selon leur mérite. Toutes les fontaines du grand abîme déversèrent leurs eaux; les fenêtres du ciel s'ouvrirent, et les eaux inondèrent la terre. Elles ne cessèrent de monter jusqu'à ce qu'elles eussent couvert les plus hautes montagnes sous le ciel. Elles submergèrent tout, faisant mourir le bétail, la gent ailée, les animaux de toutes sortes et les hommes. La vie disparut sur la terre.

« En vous faisant ce récit, je ne m'attarderai pas longuement sur les agréments de cette époque et de cet état; car j'ai pris pitié de l'homme, et d'ailleurs j'ai du tact.

« Vous-même, avant d'avoir trouvé la voie qui mène jusqu'à nous, vous avez peut-être aimé le bétail, les chameaux, les chevaux ? peut-être avez-vous élevé des pigeons ou des volailles ?

« Vous êtes jeune, peut-être avez-vous récemment éprouvé de l'attachement pour une de ces créatures qui sont de votre espèce tout en ressemblant à des oiseaux, et que l'on appelle des femmes ?

« Entre nous, il vaudrait mieux qu'il n'en fût pas ainsi car je me souviens des paroles de mon vieux pêcheur, disant qu'une jeune femme faisait subir à son amant la torture du feu. Vous feriez bien, si vous aviez du bon sens, de vous intéresser à l'une de mes propres nièces, qui sont des personnes jeunes exceptionnellement peu salées et dont les amants ne connaîtront jamais la cuisante douleur d'une brûlure. En outre, et cette fois à mon profit personnel, je passerai légèrement, selon l'usage éprouvé et raisonnable des poissons, sur le fait que l'homme tombé et corrompu a réussi à s'élever au sommet de l'échelle des créatures, grâce à la machine. Cependant, il reste à démontrer si l'homme, par ce triomphe apparent, a véritablement obtenu le succès, le vrai bien-être, le bonheur ?

« Comment la sécurité réelle peut-elle exister pour une créature toujours inquiète de la direction à suivre et qui attache une importance vitale au fait de tomber et de se redresser ? Et comment cette créature obtiendra-t-elle quelque équilibre en refusant d'abandonner toute idée d'espoir ou de risque ?

« Nous autres, poissons, sommes bien tranquilles, soutenus de tous côtés au sein d'un élément qui ne cesse de se modifier d'une manière adéquate et infaillible. Un élément dont on pourrait dire qu'il a pris en charge notre existence personnelle, d'autant plus qu'indépendamment de notre forme individuelle, que nous soyons des poissons plats ou de forme arrondie, notre poids et notre corps sont calculés en accord avec le volume de l'eau que nous déplaçons.

« L'expérience nous a prouvé, comme la vôtre vous le prouvera un jour, que l'on peut très bien flotter sans espoir et même que l'on flotte mieux.

« De sorte que notre profession de foi déclare que nous avons abandonné toute espérance. Nous ne courons pas de risques, car notre changement de place dans l'existence ne laisse jamais après lui ce que les hommes qualifient de trace, phénomène qui en réalité n'est pas un phénomène, mais une illusion.

« Et cependant combien cette illusion fait perdre de temps à vos semblables qui s'épuisent à son sujet en discussions passionnées. L'homme est effrayé, au fond, par l'idée du temps. Il ne trouve pas son équilibre par suite de son déplacement incessant entre le passé et le futur.

« Les habitants de l'élément liquide ont réuni le passé et le futur dans la maxime : « Après « nous le déluge. »

Le dîner de Babette

I. DEUX DAMES DE BERLEWAAG

Un certain fjord en Norvège, étroit bras de mer entre les hautes montagnes, porte le nom de Fjord de Berlewaag. Au pied des montagnes, la petite ville de Berlewaag a l'air d'une ville-joujou, faite de blocs de bois peints en gris, en jaune, en rose et en bien d'autres couleurs.

Deux dames âgées vivaient il y a soixante ans dans une des maisons jaunes. A cette époque, les autres dames portaient une tournure et les deux sœurs en auraient porté avec autant de grâce que toute autre, car elles étaient grandes et sveltes. Mais jamais elles n'avaient possédé un vêtement à la mode, et, leur vie durant, elles s'habillaient modestement en gris et en noir.

Elles avaient été baptisées des noms de Martine et de Philippa, d'après Martin Luther et son ami Philippe Melanchton. Leur père était à la fois pasteur et prophète. Il avait fondé une petite congrégation, ou secte pieuse, connue et estimée dans toute la Norvège. Ses membres renonçaient aux plaisirs de ce monde, car la terre, et tout ce qu'elle leur offrait, ne représentait pour eux qu'une illusion. La seule réalité était « la Nouvelle Jérusalem », vers laquelle tendaient toutes leurs aspirations.

Ils ne juraient jamais, mais leur oui était : Oui,

et leur non était : Non. Ils se qualifiaient entre eux de frères et de sœurs.

Le pasteur s'était marié tard, et à présent il était mort depuis des années. Le nombre de ses disciples avait diminué peu à peu : ils avaient blanchi; leurs cheveux s'étaient clairsemés et ils étaient devenus durs d'oreille. Avec le temps, ils prenaient même un caractère un peu maussade et querelleur, de sorte que de petits schismes se formaient dans la congrégation. Cependant, ils se réunissaient toujours pour lire et interpréter la Parole de Dieu.

Ils avaient tous connu les filles du pasteur lorsqu'elles n'étaient encore que des enfants et pour eux elles étaient restées de petites sœurs très précieuses, en souvenir de leur père, dont l'esprit habitait toujours la maison jaune. Ils s'y trouvaient chez eux, et en paix. Les deux sœurs avaient une bonne à tout faire française du nom de Babette. Chez deux femmes puritaines, vivant dans une petite ville de Norvège, la chose paraît assez singulière pour mériter une explication.

Les habitants de Berlewaag trouvèrent cette explication dans la piété et la bonté de cœur des filles du pasteur. Car ces demoiselles dépensaient leur temps et leurs maigres revenus en actes de charité. Les malheureux, les paysans ne frappaient jamais en vain à leur porte. Douze ans plus tôt, Babette était arrivée devant cette porte : fugitive, sans amis, à moitié folle de désespoir et de peur.

Mais il faut chercher la vraie raison de la présence de Babette dans la maison des deux sœurs dans une région plus secrète des cœurs humains et elle devait être révélée plus tard.

II. L'AMOUREUX DE MARTINE

Dans leur jeunesse, Martine et Philippa avaient été extrêmement jolies, parées de cette fraîcheur presque surnaturelle des arbres fruitiers en fleurs, ou des neiges éternelles.

On ne les voyait jamais ni au bal ni à des parties de plaisir, mais dans la rue on se retournait à leur passage pour les regarder, et les jeunes gens de Berlewaag allaient à l'église dans le seul espoir de les admirer pendant qu'elles longeaient la nef.

La plus jeune possédait une voix ravissante qui, le dimanche, remplissait l'église de ses suaves accents.

Dans la congrégation fondée par le pasteur, l'amour terrestre et le mariage étaient tenus pour choses triviales et pures illusions. Mais il est bien possible que plus d'un « frère » aujourd'hui tout vieux et chenu ait considéré jadis les jeunes filles comme des joyaux d'un prix infiniment plus précieux que celui des rubis et qu'il ait cherché à en convaincre le père.

Mais le pasteur avait déclaré aux soupirants que, dans son ministère à lui, ses filles étaient sa main droite et sa main gauche; qui donc voudrait l'en priver? Et les blondes jeunes filles avaient été élevées pour un idéal d'amour céleste.

Cet amour les emplissait toutes et elles ne permirent pas aux flammes de ce monde de les effleurer.

Pourtant, elles avaient grandement troublé la paix du cœur de deux jeunes hommes, citoyens du vaste monde, au-delà de Berlewaag. L'un était un jeune officier, du nom de Lorenz

Löwenhielm, qui menait joyeuse vie dans sa ville de garnison et qui s'y était endetté. En 1854, alors que Martine avait 18 ans et Philippa 17, le père de Lorenz Löwenhielm, fort en colère contre son fils, l'avait envoyé passer un mois chez sa tante. Dans une vieille maison de campagne de Fossum, près de Berlewaag, il y trouverait temps de réfléchir à son comportement et de s'améliorer.

Un jour qu'il venait à cheval en ville, il rencontra Martine sur la place du marché. Du haut de sa monture, il regarda la jolie fille, et elle leva les yeux vers le beau cavalier.

Lorsqu'elle l'eut dépassé et qu'elle eut disparu, il n'osait pas croire encore au témoignage de ses yeux.

Une légende subsistait dans la famille Löwenhielm. Selon cette légende un des ancêtres avait, il y a bien longtemps, épousé une Huldra, démon féminin des montagnes norvégiennes. Ces Huldra ont le teint si clair et la chevelure si dorée qu'elles font resplendir et frémir l'air autour d'elles.

Depuis cette époque, il arrivait de temps en temps à certains membres de la famille d'être sujets à des visions.

Jusqu'à présent, le jeune Lorenz ne s'était pas aperçu qu'il possédait un don de ce genre. Mais, à ce moment-là, surgit à ses yeux la vision éblouissante d'une vie plus élevée et plus pure, vie sans créanciers, sans traites à payer, sans sermons paternels, ni reproches ni secrets scrupules de conscience, vie dont le guide et la récompense seraient un ange aux cheveux d'or.

Il fut reçu chez le pasteur sur la recommandation de sa pieuse tante et Martine lui parut encore plus délicieuse tête nue qu'en chapeau. Il la contemplait avec adoration, mais en même temps il se désespérait de la figure qu'il faisait en sa présence.

Surpris et furieux à la fois, il ne trouvait rien à dire, nulle inspiration ne lui venant du verre d'eau placé devant lui.

– La clémence et la foi, mes chers frères, se sont rencontrées, disait le pasteur, et la vertu, et la grâce se sont embrassées.

Le jeune homme songeait alors au moment où Martine et Lorenz s'embrasseraient.

Il répéta ses visites et à chaque fois il lui semblait qu'il se rapetissait et devenait de plus en plus insignifiant et méprisable.

Quand il rentrait le soir chez sa tante, il lançait ses luisantes bottes de cavalier à l'autre bout de sa chambre, ou même se mettait à pleurer, la tête contre la table. A la fin de son séjour il fit une dernière tentative pour révéler ses sentiments à Martine. Jusqu'à présent, il lui avait été facile de dire à une jolie fille qu'il l'aimait, mais les paroles de tendresse s'étranglaient dans sa gorge quand il regardait le visage angélique de sa voisine. Enfin il prit congé du reste de la société, et Martine l'accompagna jusqu'à la porte, un chandelier à la main. La lumière éclairait ses lèvres et projetait vers le haut l'ombre de ses longs cils. Lorenz était prêt à partir dans un muet désespoir, quant tout à coup, sur le seuil de la porte, il s'empara de la main de Martine et la porta à ses lèvres en s'écriant :

– Je pars pour toujours, et je ne vous reverrai jamais, jamais plus, car j'ai appris que le sort est cruel, et que dans ce monde il y a des choses impossibles.

De retour dans sa garnison, il voulut réfléchir à cette aventure, mais il découvrit qu'il ne devait plus jamais y penser. Tandis que les autres jeunes officiers parlaient de leurs affaires d'amour, il gardait le silence sur les siennes; car lorsqu'il les revivait en esprit au mess des officiers et qu'il les voyait en quelque sorte par les yeux de son entourage, elles ne représentaient plus pour lui qu'un lamentable échec.

Comment se pouvait-il qu'un lieutenant de hussards se fût laissé vaincre et priver de ses moyens par une bande de sectaires, à l'air maussade, dans la pauvre maison d'un vieux pasteur?

Cette question l'effrayait et il se sentait pris de panique. Etait-ce par suite de la folie de sa race qu'il ne pouvait se débarrasser de l'image d'une jeune fille si belle, qu'elle créait autour d'elle comme une resplendissante auréole de pureté et de sainteté. Mais lui, Lorenz, ne voulait pas être un rêveur; il voulait être semblable aux autres officiers, ses camarades.

Il fit donc tous ses efforts pour se ressaisir et accomplir le plus grand acte de courage de sa jeune vie, en décidant d'oublier ce qui lui était arrivé à Berlewaag. A partir de cet instant, il ne regarderait plus en arrière, mais en avant. Il ne penserait plus qu'à sa carrière et le jour viendrait où il ferait brillante figure dans un monde brillant.

Sa mère fut enchantée du résultat de la visite à Fossum, et ses lettres exprimèrent à sa tante une vive reconnaissance. Elle ignorait par quelle voie étrange et tortueuse son fils avait atteint cet heureux équilibre.

Le jeune officier ambitieux attira bientôt l'attention de ses supérieurs et son avancement fut extraordinairement rapide. Envoyé en France et en Russie, il épousa, à son tour, une dame d'honneur de la reine Sophie. Il évolua avec grâce et aisance dans ce milieu aristocratique, satisfait de son entourage et satisfait de lui-même. Avec le temps, il sut même tirer profit de paroles et de tournures de phrases qui l'avaient frappé dans la maison du pasteur, car à présent la piété était de mode à la Cour. Dans la maison jaune de Berlewaag, Philippa évoquait parfois le souvenir du beau jeune homme silencieux, qui était arrivé si soudainement et qui, si soudainement, avait disparu. Sa sœur aînée lui répondait aimablement, le visage calme et serein, puis détournait la conversation vers d'autres sujets.

III. L'AMOUREUX DE PHILIPPA

Un an plus tard arriva à Berlewaag un personnage plus distingué encore que le lieutenant Löwenhielm.

Le célèbre chanteur Achille Papin, de Paris, avait chanté pendant une semaine à l'Opéra Royal de Stockholm et comme partout ailleurs il avait enthousiasmé son auditoire.

Un soir, une dame de la Cour, qui avait rêvé d'une aventure romanesque avec l'artiste, lui décrivit les paysages grandioses et sauvages de la Norvège. Achille Papin était fait pour être un héros de roman. Saisi par le récit de son admiratrice, qui excita son imagination, il résolut de longer la côte norvégienne avant de revenir en France. Mais il se sentit tout petit dans ce cadre sublime, sans âme qui vive avec qui échanger quelques paroles, et il tomba dans une sorte de mélancolie, se voyant déjà au seuil de la vieillesse, qui marquerait la fin de sa carrière.

Or, un dimanche, ne sachant que faire d'autre, il alla à l'église et entendit chanter Philippa. Alors, comme en un éclair, il sut tout, il comprit tout; car soudain les pics neigeux, les fleurs sauvages, les nuits claires de Norvège lui parlaient dans son langage propre : celui de la musique, par la voix d'une jeune femme. De même que Lorenz Löwenhielm, il eut une vision.

« Dieu tout-puissant! songea-t-il, ton pouvoir est infini et ta miséricorde va jusqu'aux nues! Voici une prima donna qui pourrait avoir tout l'Opéra de Paris à ses pieds. »

A cette époque, Achille Papin était un bel homme, aux cheveux noirs bouclés, aux lèvres rouges. Mais, idole de tant de nations, il n'était pas gâté par la gloire : bon et sensible, il restait honnête vis-à-vis de lui-même.

Il s'en fut directement à la maison jaune et déclina son nom, que le pasteur ignorait totalement. Puis il expliqua qu'il séjournait à Berlewaag pour des raisons de santé et serait heureux de donner des leçons de musique à la jeune demoiselle. Bien entendu, il ne mentionna pas l'Opéra de Paris, mais parla longuement de la voix de Mlle Philippa, qui allait prendre un merveilleux essor, pour célébrer la gloire de Dieu à l'église.

L'espace de quelques minutes, Achille Papin oublia sa propre identité, mais, quand le pasteur lui demanda s'il était catholique, il répondit conformément à la vérité. Son interlocuteur pâlit légèrement : de sa vie, il n'avait rencontré un catholique.

Pourtant il eut plaisir à parler le français, se rappelant les jours où, jeune étudiant, il avait lu les œuvres de Lefèvre d'Etaples, l'écrivain luthérien français.

Et comme personne ne résistait à la longue à

Achille Papin, quand il avait réellement mis quelque chose dans sa tête, le père finit par donner son consentement, en faisant cette remarque à sa fille : « Il y a des chemins frayés à travers la mer et les montagnes neigeuses, là où l'œil humain ne distingue pas la moindre piste. »

C'est ainsi que le célèbre chanteur français et la jeune Norvégienne encore novice dans son art commencèrent à travailler ensemble. L'espoir d'Achille devint une certitude et la certitude se changea en extase. « J'ai eu tort, pensait-il, de m'imaginer que je vieillissais; mes plus grands triomphes m'attendent encore. Une fois de plus le monde criera au miracle quand nous chanterons ensemble, elle et moi. »

Au bout de quelque temps, l'artiste, incapable de taire ses rêves, en parla à Philippa : « Votre renommée de cantatrice dépassera celles de toutes les autres qui vous précédèrent, ou vous suivront. A Paris, l'empereur, l'impératrice, les grandes dames et les beaux esprits vous écouteront; vous leur ferez verser des larmes. Les gens du commun vous adoreront; vous apporterez la consolation aux opprimés et aux malheureux. Lorsque vous quitterez l'Opéra à mon bras, la foule dételera vos chevaux, et des hommes s'atteleront eux-mêmes à votre voiture pour la traîner jusqu'au Café Anglais, où un magnifique souper vous attendra. »

Philippa ne répéta ces perspectives d'avenir ni à son père ni à sa sœur. Pour la première fois de sa vie, elle eut un secret vis-à-vis d'eux.

Cependant, le professeur fit étudier à son élève la partie de Zerline, dans le *Don Juan* de Mozart. Lui-même, comme il l'avait fait à maintes reprises, chanta celle de Don Juan.

Jamais encore il n'avait chanté comme à

présent. Dans le duo du second acte – qu'on appelle le Duo de la Séduction – il se sentit transporté au-dessus de lui-même par cette musique et ces voix divines. Lorsque mourut suavement la dernière note, il prit la main de Philippa, attira la jeune fille à lui et lui donna un solennel baiser, comme ferait un époux pour son épouse devant l'autel; puis il la quitta.

Cet instant sublime ne permettait nulle autre parole, nul autre geste. Le regard de Mozart lui-même reposait sur les deux artistes.

En rentrant chez elle, Philippa dit à son père qu'elle ne désirait plus continuer ses leçons de chant et le pria d'informer M. Papin de sa décision.

Le père dit : « Les voies de Dieu passent au travers des rivières, mon enfant. »

En recevant la lettre du pasteur, Achille resta immobile pendant un moment. Il se disait : « Je me suis trompé, j'ai fini mon temps; je ne serai jamais plus le divin Papin; et le pauvre jardin de ce monde, si plein de mauvaises herbes, a perdu son rossignol. »

Un peu plus tard, il pensa : « Je me demande ce qu'il en est de cette petite coquine. L'ai-je réellement embrassée? »

Mais, à la fin, il murmura : « J'ai perdu ma vie pour un baiser dont je ne me souviens plus. Don Juan a embrassé Zerline, et c'est Achille Papin qui paie pour ce baiser : voilà bien le sort des artistes! »

Dans la maison jaune, Martine devina bien que les choses étaient plus sérieuses qu'elles ne le paraissaient, et elle chercha du regard le visage de sa sœur. Pendant quelques secondes, elle aussi eut peur que l'artiste catholique n'eût essayé d'embrasser Philippa. Elle était bien incapable de s'imaginer que sa sœur pût être surprise, ou effrayée, par une impulsion de sa propre nature.

Achille Papin prit le premier bateau en partance de Berlewaag. Les deux sœurs parlèrent peu de ce visiteur venu du vaste monde : les termes leur faisaient défaut pour s'entretenir de lui.

IV. UNE LETTRE DE PARIS

Quinze ans plus tard, par une nuit pluvieuse du mois de juin 1871, quelqu'un tira à trois reprises avec violence le cordon de sonnette de la maison jaune. Les maîtresses de maison ouvrirent la porte à une femme massive, et d'une pâleur mortelle, qui portait un baluchon sous le bras. Elle les regarda fixement, fit un pas en avant et tomba évanouie sur le seuil.

Quand les demoiselles effarées la firent revenir à elle, l'inconnue s'assit et, les considérant encore de ses yeux profondément enfoncés, mais sans prononcer un mot, fouilla ses vêtements trempés pour en tirer une lettre qu'elle leur tendit.

La lettre portait exactement leur adresse, mais elle était écrite en français. Les deux sœurs se penchèrent ensemble sur les caractères et lurent ce qui suit :

Mesdames,

Vous souvenez-vous de moi? Ah! Quand je pense à vous, mon cœur s'emplit du parfum du muguet sauvage des bois. Le souvenir de l'attachement passionné d'un Français saura-t-il émouvoir vos cœurs, et consentirez-vous à sauver la vie d'une Française?

La porteuse de cette lettre, Mme Babette Hersant de même que ma divine impératrice, a dû s'enfuir de Paris. La guerre civile a fait rage dans nos rues. Les nobles communards, qui se sont dressés pour défendre les droits de l'homme, ont été écrasés et détruits. Le mari et le fils de Mme Hersant, tous deux coiffeurs éminents, ont été tués. Mme Hersant a été arrêtée comme « pétroleuse » (qualificatif que l'on emploie ici pour désigner les femmes qui ont mis le feu à des maisons avec du pétrole) et a échappé de justesse aux mains sanglantes du général de Galliffet. Elle a perdu tout ce qu'elle possédait et n'ose plus rester en France.

*L'un de ses neveux est cuisinier à bord de l'*Anna Colbiœrnsson *qui fait route vers Christiana (c'est à ce que je crois la capitale de la Norvège) et il a obtenu un billet de transport pour sa tante. C'est là le dernier triste recours de cette pauvre femme. Sachant que j'avais visité jadis votre magnifique pays, Mme Hersant est venue me demander si j'y connaissais quelques bonnes gens et m'a prié, si c'était le cas, de lui donner une lettre pour elles.*

Ces mots de « bonnes gens » m'ont rappelé aussitôt vos images, qui restent sacrées pour moi. Je vous envoie Mme Hersant. N'ayant plus à l'esprit la carte de Norvège, j'ignore comment elle se rendra de Christiania à Berlewaag. Mais c'est une Française. Vous verrez qu'en dépit de sa détresse elle est pleine de ressources, et qu'elle a conservé une sorte de majesté et un véritable stoïcisme. Et je l'envie, car, dans son désespoir, elle aura le bonheur de vous voir.

En la recevant avec compassion, ayez une pensée de sympathie pour la France.

Il y a quinze ans, Mlle Philippa, j'ai été désolé à la pensée que votre voix ne remplirait jamais la grande salle de l'Opéra à Paris. Quand je pense aujourd'hui à vous, qui êtes sans doute entourée par une famille joyeuse et aimante, et à moi-même, vieux célibataire grisonnant oublié par ceux qui m'applaudissaient et m'adoraient jadis, je sais que c'est vous qui avez choisi la meilleure part. Qu'est-ce que la renommée? Qu'est-ce que la gloire? La mort nous attend tous, tant que nous sommes.

Et maintenant, ma Zerline perdue, et maintenant, ô soprano des neiges, en vous écrivant, je sens que la mort n'est pas la fin de tout. Au paradis, j'entendrai de nouveau votre voix; vous y chanterez sans craintes et sans scrupules. Dieu vous a créée pour chanter. Vous serez alors la grande artiste que Dieu vous a destinée à être. Oh! combien vous enchanterez les anges!

Babette sait faire la cuisine.

Daignez recevoir, Mesdames, l'humble hommage de celui qui était votre ami autrefois.

Achille PAPIN

Au bas de la page, en guise de *post-scriptum*, se trouvaient les premières mesures, délicatement imprimées, du duo de Don Juan et Zerline.

Jusqu'à présent les deux sœurs n'avaient eu qu'une petite bonne de quinze ans pour les aider aux soins du ménage, et elles craignirent de ne pas avoir les moyens de garder une servante d'âge mûr et douée d'expérience. Mais Babette leur dit qu'elle servirait pour rien les « bonnes gens » de M. Papin, et qu'elle ne s'engagerait chez personne d'autre. Si ces demoiselles la renvoyaient, elle n'aurait plus qu'à mourir.

Et Babette demeura dans la maison des filles du pasteur pendant douze ans, jusqu'au moment où commence cette histoire.

V. VIE PAISIBLE

Babette était arrivée l'air hagard et les yeux égarés, pareille à une bête traquée; mais, dans son nouveau milieu si amical, elle prit très vite l'aspect d'une respectable servante de confiance. Venue en mendiante, elle devint bientôt une triomphatrice.

Son maintien paisible, son regard ferme et profond exerçaient une influence magnétique. Sous ses yeux, les choses prenaient sans bruit leur vraie place.

Au début, tout comme le pasteur quinze ans plus tôt, les patronnes de Babette avaient éprouvé une certaine inquiétude à l'idée de recevoir une « papiste » sous leur toit. Mais elles répugnaient à tourmenter une femme durement éprouvée, en essayant de la catéchiser, et, en outre, elles n'étaient pas très sûres de leur français. Par un accord tacite, elles ne cherchèrent donc à convertir leur servante que par l'exemple d'une sainte vie luthérienne. Et c'est ainsi que la présence de Babette dans la maison fut une sorte de stimulant moral pour ses habitantes.

Les deux sœurs n'avaient pas ajouté foi aux paroles de M. Papin concernant les aptitudes culinaires de Babette : elles savaient que les Français mangeaient des grenouilles, aussi enseignèrent-elles à Babette la manière de préparer la morue, et la soupe au pain et à la bière. Au cours de cette démonstration, le visage de la Française demeura tout à fait impassible. Mais, au bout d'une semaine, Babette préparait la morue et la soupe au pain et à la bière aussi bien que quiconque, né et élevé à Berlewaag.

La pensée du luxe et des extravagances françaises déconcertait les filles du pasteur. Le jour où Babette entra à leur service, elles l'appelèrent pour lui expliquer qu'elles étaient pauvres et qu'à leurs yeux le luxe était un péché. Il fallait que leur propre nourriture fût aussi simple que possible. Ce qui importait, c'étaient les marmites de soupe et les paniers de provisions destinés aux pauvres. Babette inclina la tête. Elle apprit à ses patronnes qu'étant jeune fille elle avait été cuisinière chez un vieux prêtre qui était un saint.

Aussitôt les deux sœurs prirent la résolution de surpasser le prêtre au point de vue de l'ascétisme.

Elles devaient s'apercevoir bientôt que, du jour où Babette s'était chargée de leur ménage, les dépenses avaient diminué comme par miracle, tandis que les marmites de soupe et les paniers de provisions semblaient doués d'un nouveau et mystérieux pouvoir pour fortifier à la fois les pauvres et les malades et les consoler de leurs maux. Les voisins et les protégés de la maison jaune durent reconnaître qu'ils bénéficiaient chacun pour sa part des éminentes qualités de Babette.

Jamais la réfugiée n'apprit à bien parler la langue de sa nouvelle patrie; mais, dans son mauvais norvégien, elle savait faire baisser les prix des commerçants les plus inflexibles de

Berlewaag : on la craignait comme le feu sur les quais et au marché.

Au début, les « vieux frères » et les « vieilles sœurs » avaient considéré avec méfiance l'étrangère qui s'installait parmi eux. Ils ne tardèrent pas à s'apercevoir de l'heureux changement opéré au foyer de leurs « petites sœurs » et, en même temps qu'ils s'en réjouissaient, ils en bénéficiaient. Ils découvraient que, dans la vie de Martine et de Philippa, les ennuis et les difficultés avaient disparu. Elles avaient dorénavant de l'argent à distribuer et du temps à consacrer aux lamentations et aux confidences de leurs vieux amis. En outre, la paix de leurs cœurs leur permettait de s'abandonner à la méditation des choses célestes.

Avec le temps, il y eut de plus en plus de membres de la communauté qui prononcèrent le nom de Babette dans leurs prières, remerciant Dieu d'avoir envoyé cette étrangère quasi muette, cette sombre Marthe, au foyer des deux « lumineuses » Marie. La pierre qu'avaient presque rejetée ceux qui bâtissaient était devenue la principale de l'angle. Les dames de la maison jaune étaient seules à savoir que leur « pierre angulaire » portait une marque mystérieuse et inquiétante, comme si elle eût été apparentée de quelque manière à la Pierre noire de La Mecque, la Kaaba elle-même.

Babette parlait très peu de son passé. Dans les premiers temps, quand les deux sœurs lui avaient exprimé leur sympathie pour ses malheurs, elle avait fait preuve, dans ses réponses, de la majesté et du stoïcisme dont M. Papin avait parlé dans sa lettre.

« Que voulez-vous, Mesdames, disait-elle en haussant les épaules, c'est le destin! »

Et puis, un beau jour, elle apprit tout à coup à

ses patronnes qu'elle avait pris un billet de loterie en France, bien des années auparavant, et qu'un fidèle ami de Paris vérifiait tous les ans les chances de ce billet. Qui sait s'il ne lui arriverait pas de gagner le gros lot de dix mille francs ?

Ce récit fit comprendre aux deux sœurs que le vieux sac de voyage en tapisserie de leur cuisinière était fait d'un tapis magique. Babette n'était-elle pas capable à tout moment de l'enfourcher et de retourner à Paris au travers des airs ?

Il arrivait qu'en s'adressant à Babette Martine et Philippa n'obtenaient pas de réponse; elles se demandaient alors si l'étrangère avait bien entendu ce qu'elles disaient. Assise à la cuisine, les coudes sur la table, Babette était plongée dans la lecture d'un épais livre noir, un livre de prières papistes sans doute. D'autres fois, elle restait immobile sur la chaise de bois à trois pieds, ses fortes mains croisées sur ses genoux, ses grands yeux largement ouverts. Elle paraissait alors aussi énigmatique, aussi mystérieusement avertie des secrets du destin que la Pythie sur son trépied.

Les deux sœurs devinaient alors que dans l'âme de Babette existaient des profondeurs insoupçonnées. Des souvenirs, des passions, des regrets, dont elles-mêmes restaient tout à fait ignorantes, venaient assiéger leur servante. Saisies d'un léger frisson, il leur arrivait de penser au fond de leurs cœurs : « Peut-être, après tout, est-ce vrai qu'elle a été une pétroleuse ! »

VI. LA CHANCE DE BABETTE

Le 15 décembre, on devait fêter le centième anniversaire du pasteur. Ses filles s'étaient préparées depuis longtemps à célébrer ce grand jour, comme si leur bien-aimé père vivait encore au milieu de ses disciples. Et ce fut pour elles un grand sujet de tristesse de constater qu'au cours de cette dernière année la discorde et les dissensions avaient fait d'incompréhensibles ravages dans le petit troupeau. Elles avaient essayé de rétablir la paix, mais se rendirent bien vite compte de la vanité de leurs efforts. On eût dit que la si remarquable énergie et l'amabilité, qui caractérisaient la personnalité de leur père, s'étaient évaporées comme s'évapore la force anodine de la bouteille d'Hoffmann quand on la laisse débouchée sur une étagère. Le départ du pasteur semblait avoir ouvert la porte à des sentiments inconnus des deux sœurs, bien plus jeunes à ce moment-là que les disciples spirituels du maître vénéré.

Surgis d'un passé vieux d'un demi-siècle alors que le troupeau sans berger errait perdu dans la montagne, des hôtes sinistres, non invités, étaient entrés par l'ouverture béante, et avec eux l'obscurité et le froid pénétrèrent dans les petits foyers jadis si bien clos. Les péchés des frères et des sœurs, accompagnés d'un tardif et lancinant repentir, reparurent pareils à une rage de dents, et les offenses réciproques reparurent aussi, suscitant d'amères rancunes.

On ne peut comparer cet état de choses qu'à un empoisonnement du sang.

Deux vieilles femmes faisaient partie de la congrégation. Avant leur conversion, elles avaient médit l'une de l'autre jusqu'à empêcher d'une part un mariage, de l'autre un héritage. Aujourd'hui, elles étaient incapables de se rappeler les événements de la veille ou de la semaine précédente, mais elles se souvenaient des torts qui leur avaient été faits quarante ans plus tôt, elles continuaient à songer à ces dettes anciennes et se regardaient de travers.

Il y avait aussi un vieux frère qui, tout à coup, se rappela qu'un autre l'avait trompé, quarante-cinq ans auparavant, en traitant avec lui une importante affaire. Il aurait voulu chasser ces images de son esprit, mais elles le blessaient toujours à nouveau comme une écharde profondément enfoncée dans la chair.

Et que dire de cet honnête marin, aux cheveux gris, et de cette pieuse veuve, ridée par l'âge, qui avaient été amants dans leur jeune temps alors qu'elle était la femme d'un autre homme.

Ils en avaient tout récemment conçu du regret, mais chacun d'eux rejeta la faute sur l'autre et s'inquieta des terribles conséquences d'un péché dont il allait souffrir pendant l'éternité entière peut-être, à cause d'un être qui avait prétendu l'aimer. Ils pâlissaient chaque fois qu'ils se rencontraient dans la maison jaune et évitaient de se regarder.

Comme le grand jour approchait, Martine et Philippa se sentirent de plus en plus écrasées par leur responsabilité. Est-ce que leur père, qui avait été fidèle en toutes choses, ne les regarderait pas avec sévérité, les qualifiant de gardiennes infidèles de ses biens ? Elles s'entretinrent de leurs inquiétudes, se répétant les paroles de leur père concernant les sentiers qui traversent même la mer salée et les montagnes couvertes de neige, où l'œil humain ne discerne aucune piste.

Un jour de l'été précédent, le facteur apporta une lettre de France à Mme Babette Hersant. C'était un événement surprenant, car Babette n'avait reçu aucune lettre depuis douze ans.

« Que contenait cette lettre? » se demandaient les patronnes de Babette.

Elles se glissèrent à la cuisine pour voir la servante décacheter l'enveloppe et lire la missive. La lecture terminée, Babette, levant les yeux, apprit aux deux sœurs que son numéro de loterie en France venait de sortir et qu'elle avait gagné dix mille francs.

La nouvelle fit une telle impression sur Martine et Philippa qu'elles demeurèrent muettes pendant un long moment. Leur modeste pension leur était versée d'ordinaire par petites sommes. Il leur était difficile d'imaginer même ces dix mille francs et la pile énorme que constitueraient tous ces écus, tandis que, de leurs mains légèrement tremblantes, elles serraient celles de Babette. Jamais encore elles n'avaient serré des mains qui, l'instant d'auparavant, venaient d'entrer en possession d'une somme de dix mille francs.

Un peu plus tard, elles s'aperçurent que le versement les concernait autant que Babette. Ce pays de France où s'était écoulée la vie de Babette se dressait lentement au-dessus de leur horizon en même temps que leur propre existence s'enfonçait dans une sorte d'abîme brumeux. Les dix mille francs faisaient de Babette une femme riche, mais combien ils appauvrissaient le foyer où elle avait servi. Les anciens soucis, les anciennes difficultés surgirent tout à coup aux quatre coins de la cuisine.

Les paroles de félicitation moururent sur leurs

lèvres, bien que les deux pieuses femmes eussent honte de leur silence.

Au cours des prochaines journées, elles annoncèrent la nouvelle à leurs amis d'un air joyeux, mais elles furent réconfortées de voir s'allonger les visages de leurs auditeurs. Personne ne pourrait, en vérité, blâmer Babette, et la communauté le comprenait bien : les oiseaux reviennent au nid et les êtres humains au pays natal. Mais cette bonne et fidèle servante comprenait-elle que son départ de Berlewaag serait une cause de détresse pour les vieillards et les pauvres? Les petites sœurs n'auraient plus le temps de soigner les malades ni les malheureux.

Certes, les loteries étaient choses impies.

L'argent arriva en temps voulu par l'entremise d'agences de Christiania et de Berlewaag. Les deux dames aidèrent Babette à compter les billets et lui donnèrent une boîte où les conserver. En maniant une aussi grosse somme, elles se familiarisèrent un peu avec ces inquiétants « chiffons de papier ».

Mais elles n'osaient interroger Babette sur la date de son départ. Oseraient-elles espérer qu'elle ne les quitterait pas avant le 15 décembre?

Les patronnes de Babette n'avaient jamais été très sûres de ce que Babette comprenait quand elles parlaient entre elles. Elles furent donc très surprises lorsqu'un soir de septembre Babette entra au salon pour leur demander une faveur. Plus humble et plus soumise que jamais, elle venait les prier de l'autoriser à préparer le dîner de fête pour l'anniversaire du pasteur.

Ces dames n'avaient pas eu la moindre intention de donner un dîner. Ce qu'elles avaient imaginé de plus somptueux était un souper fort simple, arrosé d'une tasse de café.

Mais les yeux noirs de Babette brillaient de convoitise, pareils aux yeux d'un chien qui voit un os. Elles acquiescèrent donc à sa prière et aussitôt le visage de la cuisinière s'éclaircit. Pourtant, elle déclara qu'elle n'avait pas tout dit. Elle ajouta qu'elle désirait préparer un dîner français, un vrai dîner français, pour une fois, une seule fois.

Martine et Philippa s'interrogèrent du regard : cette perspective ne leur souriait guère, elles ignoraient ce que leur acceptation impliquait. Mais l'étrangeté même de la demande les désarmait. Comment trouver les arguments nécessaires au refus de la proposition ?

Babette poussa un long soupir de bonheur, mais elle ne bougea pas d'une semelle. Elle n'avait pas que cette seule prière à adresser à ces dames et voici qu'elle les supplia de la laisser payer de son propre argent le dîner français.

Les autres s'exclamèrent :

– Non, non ! Babette ! Comment pouvez-vous vous figurer pareille chose ? Croyez-vous donc que nous vous permettrons de dilapider votre précieux trésor en nourriture et en boissons et, de plus, à notre avantage ? Non, Babette, c'est impossible.

Babette fit un pas en avant, et ce mouvement eut la soudaineté et la violence d'une vague qui se dresse, formidable et menaçante.

S'était-elle avancée de la même manière en 1871 pour planter le drapeau rouge sur une barricade ?

Elle parla dans son norvégien maladroit, mais avec l'éloquence classique particulière aux Français : sa voix résonnait comme pour un chant :

– Mesdames, vous ai-je demandé la moindre faveur pendant ces douze années ? non ? et pourquoi ne l'ai-je pas fait ? Vous, qui récitez vos prières chaque jour, pouvez-vous vous imaginer ce qu'éprouve un cœur humain qui n'a aucune prière à faire ? Et pourquoi donc Babette devrait-elle prier ? Pour rien ? Ce soir, elle a une prière à faire; cette prière jaillit du fond de son cœur. Ne comprenez-vous pas, Mesdames, que ce soir il vous appartient de l'exaucer, avec la même joie que le bon Dieu éprouve à exaucer les vôtres ?

Martine et Philippa gardèrent d'abord le silence.

Babette avait raison : c'était bien la première requête qu'elle leur adressait depuis douze ans et, plus que probablement, ce serait la dernière. Elles réfléchirent donc sur ce qu'il y avait lieu de faire. Après tout, se disaient-elles, leur cuisinière était maintenant dans une situation supérieure à la leur et que signifiait un dîner pour une personne qui possédait dix mille francs ?

Leur consentement final transfigura Babette du tout au tout. On s'aperçut que, dans sa jeunesse, elle avait été belle; et les deux sœurs se demandèrent si, pour la première fois, elles n'avaient pas été, pour la réfugiée, les « bonnes gens » de la lettre d'Achille Papin.

VII. LA TORTUE

En novembre, Babette partit en voyage.

Elle dit à ses patronnes qu'elle avait des préparatifs à faire, pour lesquels un congé de huit à dix jours était indispensable.

Le neveu, qui l'avait amenée jadis à Christiania, naviguait toujours dans ces parages; elle avait besoin de le voir et de discuter avec lui certains détails de son entreprise. Or, Babette n'avait pas le pied marin. Elle avait parlé de son unique voyage en mer de France en Norvège comme de la plus horrible expérience de sa vie. Et, cependant, aujourd'hui elle manifestait une résolution singulièrement ferme. Les deux sœurs en conclurent que son cœur était déjà en France.

Dix jours plus tard, elle revint à Berlewaag.

– Avez-vous fait tout ce que vous désiriez? demandèrent ces dames.

– Oui, répondit Babette; j'ai rencontré mon neveu et lui ai donné la liste des denrées qu'il doit me rapporter de France.

Ces paroles étaient obscures pour Martine et Philippa, mais, comme elles ne voulaient pas se risquer à parler du départ de Babette, elles ne lui posèrent plus de questions.

Babette fit montre de quelque nervosité pendant les semaines qui suivirent son retour. Mais, un jour de décembre, elle annonça triomphalement à ses maîtresses que les provisions étaient arrivées à Christiana et avaient été chargées ensuite sur un bateau à destination de Berlewaag où on les avait débarquées le jour même. Et Babette ajouta qu'elle avait convoqué un vieux bonhomme possédant une brouette pour les transporter depuis le port jusqu'à la maison.

– Mais quelles provisions, Babette? demandèrent Martine et Philippa.

– Eh bien! Mesdames, les provisions pour le dîner d'anniversaire! Dieu soit loué! Elles sont arrivées de Paris en parfait état!

A cette époque, pareille au bon génie d'un

conte de fée, Babette avait pris de telles proportions que ses patronnes se trouvaient toutes petites à côté d'elle. Les deux sœurs appréhendaient à présent le dîner français comme un phénomène de nature et de proportions inconcevables. Mais jamais encore elles n'avaient été infidèles à une promesse, et puis ne s'étaient-elles pas abandonnées elles-mêmes entre les mains de leur cuisinière ?

Pourtant Martine sursauta en apercevant un chargement de bouteilles qui arrivait dans la cuisine. Elle prit une des bouteilles et dit à voix basse :

– Qu'y a-t-il là-dedans, Babette ? Ce n'est pas du vin, j'espère ?

– Du vin, Madame ? s'écria Babette. Oh ! non ! c'est du clos-vougeot 1846.

Et elle ajouta :

– Il vient de chez Philippe, rue Montorgueil.

Martine ne s'était jamais doutée que les vins puissent porter des noms; elle fut donc contrainte de garder le silence sur ce point-là.

Vers la fin de la soirée, un coup de sonnette la fit courir à la porte. Elle ouvrit pour voir entrer une fois encore une brouette. Cette fois, c'était un garçon à tignasse rousse qui amenait le chargement, comme si le vieux bonhomme eût été épuisé par ses efforts précédents. Le garçon ricana en tirant hors de la brouette un gros objet indéfinissable. A la lueur de la lampe, l'objet ressemblait à une pierre d'un noir verdâtre. Mais, quand on l'eut posé sur le carrelage de la cuisine, il en sortit tout à coup une petite tête de serpent qui se balança lentement de droite et de gauche.

Martine avait vu des gravures représentant des tortues; elle avait même connu un enfant qui possédait une tortue apprivoisée, mais cette chose-là était d'une taille monstrueuse et terrible à voir. La fille du pasteur battit en retraite sans un mot.

Elle n'eut pas le cœur de raconter à sa sœur ce qu'elle avait vu et passa une nuit blanche, en pensant à son père. Dire que, le jour même de son anniversaire, elle et Philippa allaient livrer la maison du pasteur aux maléfices d'un sabbat de sorcières !

Lorsqu'elle s'endormit enfin, elle eut un rêve affreux : elle voyait Babette empoisonnant les « frères » et les « sœurs » de la communauté, sans compter Philippa et elle-même.

Dès l'aube, elle se leva, enfila son manteau gris et s'en fut par les rues obscures. Elle alla de maison en maison, ouvrit son cœur aux frères et aux sœurs, et confessa sa faute. Elle dit qu'avec Philippa elle avait accordé une prière à leur servante Babette sans prévoir ce qui les attendait. Et maintenant, elle n'osait penser à tout ce qu'on offrirait à boire ou à manger à leurs hôtes, le jour de l'anniversaire de son père.

Martine ne fit pas mention de la tortue, mais son expression et le ton de sa voix en parlaient éloquemment.

Toutes les vieilles gens, comme on l'a dit précédemment, connaissaient Martine et Philippa depuis leur tendre enfance et les avaient vues pleurer amèrement sur une poupée cassée.

Les larmes de Martine firent monter des larmes à leurs propres yeux. Ils se réunirent dans l'après-midi et agitèrent la question entre eux. Avant de se séparer, ils avaient échangé réciproquement la promesse de ne pas dire un mot concernant la nourriture et la boisson au cours du dîner de fête, et cela rien que pour l'amour de leurs petites sœurs. Quoi qu'on leur offrît, que ce fussent des grenouilles ou des escargots, rien n'arracherait une parole à leurs lèvres. Un vieillard à barbe blanche ajouta cependant : « Rappelons-nous que la langue, cette partie du corps si petite, se glorifie d'accomplir de grandes choses. Nul homme ne peut discipliner sa langue : c'est un démon insoumis, qui peut distiller un poison mortel. Le jour anniversaire de notre maître, nous nettoierons nos langues, les purifiant de toute concupiscence et de tout dégoût, les préservant pour leur seule haute fonction, qui consiste à louer et à remercier le Seigneur. »

Il se passait si peu de choses dans l'existence paisible de la communauté de Berlewaag que cet instant fut, pour elle, un instant de profonde émotion et d'exaltation spirituelle.

Les frères et les sœurs se serrèrent la main après leur serment et il leur sembla qu'ils agissaient ainsi en présence de leur maître.

VIII. LE CANTIQUE

Il neigea le dimanche matin : les flocons blancs tombaient rapides et drus, et une épaisse couche de neige couvrit les petits appuis des fenêtres de la maison jaune.

Le matin, de bonne heure, un domestique de Fossum apporta un billet aux deux sœurs : la vieille Mme Löwenhielm résidait toujours dans sa propriété de campagne. Agée de quatre-vingt-dix ans, elle était complètement sourde et avait perdu le goût et l'odorat, mais elle avait été l'une des premières à soutenir l'œuvre du pasteur. Ni ses infirmités ni le voyage en traîneau ne l'empêcheraient de venir honorer sa mémoire. « Mais, écrivait-elle, voici que mon neveu, le général Lorenz Löwenhielm, vient me voir à l'improviste. Il m'a parlé du pasteur avec une profonde vénération, et si vous me permettez de l'amener, je vous en serais très reconnaissante. Cela lui ferait du bien, car il est quelque peu déprimé. »

En lisant ces mots, Martine et Philippa revirent par la pensée le jeune officier qui venait leur faire visite. Leurs inquiétudes présentes s'apaisèrent en souvenir des jours heureux d'autrefois. Elles répondirent à Mme Löwenhielm que le général serait le bienvenu et annoncèrent aussi à Babette qu'on serait douze à table, en ajoutant que leur hôte de la dernière heure avait vécu à Paris pendant plusieurs années.

Ces nouvelles parurent faire plaisir à Babette : elle assura qu'il y aurait largement de quoi manger pour tout le monde.

Les hôtesses firent leurs menus préparatifs au salon; elles ne se risquaient pas à mettre le pied à la cuisine, car Babette avait mystérieusement embauché l'aide-cuisinier d'un bateau du port. C'était le même garçon, Martine le reconnut, qui avait apporté la tortue. Il devait aider à la cuisine et servir à table.

Maintenant, la femme aux cheveux noirs et le garçon à la tignasse rousse, semblables à une sorcière et à son esprit familier, avaient pris possession des régions interdites au reste du monde. Les dames de la maison n'auraient pu dire quel feu on y avait allumé ni dans quels chaudrons on faisait bouillir la soupe dès avant le jour.

Le linge de table avait été repassé et les plats brillaient comme par magie. Babette était seule à savoir d'où l'on avait apporté des verres et des carafes.

La maison du pasteur ne possédait pas douze chaises de salle à manger et il fallut déménager du salon le grand canapé couvert de crin gris. Le salon, toujours pauvrement meublé, semblait singulièrement vide et spacieux sans ce canapé.

Martine et Philippa firent de leur mieux pour embellir le domaine qui leur avait été concédé. Quelles que fussent les épreuves réservées à leurs invités, ils auraient chaud tout au moins. Pendant toute la journée, les deux sœurs entassèrent des branches de bouleaux dans le vieux poêle. Elles ornèrent d'une guirlande de genièvre le portrait de leur père pendu au mur et posèrent un bougeoir sur la petite table à ouvrage de leur mère placée sous le portrait. Elles brûlèrent aussi des rameaux de genièvre pour répandre une bonne odeur dans la pièce.

Elles ne cessaient, en s'affairant de la sorte, de se demander si le traîneau des Löwenhielm passerait.

Enfin, elles enfilèrent leurs robes noires du dimanche et attachèrent à leur cou la croix d'or reçue pour leur confirmation. Après quoi, il ne leur resta plus rien à faire qu'à s'asseoir et, joignant les mains sur leurs genoux, elles s'abandonnèrent à la volonté du Seigneur.

Les frères et les sœurs arrivèrent par petits groupes et entrèrent dans la chambre lentement et avec une profonde solennité.

Cette chambre basse, avec son plancher nu et ses meubles rares, était chère aux disciples du pasteur.

Au-dehors s'étendait le vaste monde sous sa blanche parure d'hiver, et il paraissait plus joli encore derrière les jacinthes roses, bleues et jaunes, rangées sur l'appui des fenêtres. En été, quand ces fenêtres restaient ouvertes, le vaste monde apparaissait dans le clair encadrement des rideaux de tulle, qui frémissaient doucement à la brise.

Ce soir-là, les invités furent accueillis dès le seuil de la porte par un parfum suave, mais sans sourciller ils allèrent contempler le portrait de leur maître, sous sa guirlande de feuillage vert et, après quelques secondes de silence, leurs cœurs, comme leurs doigts gourds, se dégelèrent. Un frère très âgé entonna de sa voix cassée l'un des cantiques composé par le pasteur :

Jérusalem, mon heureuse patrie
Ton nom m'est chéri à jamais...

Et, l'une après l'autre, toutes les autres voix se mêlèrent à la première : tremblantes voix féminines, basses profondes des vieux marins. Dominant le tout, s'élevait le clair soprano de Philippa, un soprano un peu affaibli par les années, mais toujours angélique. Sans même s'en rendre compte, les chanteurs se prirent par la main. Ils chantèrent le cantique strophe par strophe et, incapables de s'arrêter, en commencèrent un autre :

Ne te préoccupe ni de ta nourriture
Ni de ton vêtement...

Ces paroles tranquillisèrent un peu les maîtresses de maison. Et la troisième strophe alla droit au cœur de Martine, qu'elle remplit d'espoir :

Donnerais-tu une pierre ou un serpent
A ton enfant qui demanderait du pain?...

Mais un bruit de clochettes interrompit le chant au beau milieu : le traîneau de Fossum arrivait à la maison jaune.

Martine et Philippa se hâtèrent de recevoir leurs hôtes au salon. Mme Löwenhielm s'était fort amenuisée avec le temps. Toute petite à présent, elle avait un visage blanc comme du parchemin et ne parlait plus guère.

A côté d'elle, le général Löwenhielm, grand, large, le teint vermeil, la poitrine couverte de décorations, resplendissait dans son bel uniforme. Il brillait et se pavanait comme un paon ou un faisan doré dans ce groupe sans éclat de corbeaux noirs et de corneilles.

IX. LE GÉNÉRAL LÖWENHIELM

Pendant le trajet de Fossum à Berlewaag, le général Löwenhielm avait été dans un singulier état d'esprit.

Il n'était pas revenu dans la région depuis trente ans. Aujourd'hui qu'il pouvait se reposer après sa vie agitée à la Cour, il ne trouvait pas le repos désiré. Certes, la vieille maison de Fossum offrait le calme, mais combien elle lui paraissait de taille pathétiquement exiguë après les Tuileries ou le Palais d'Hiver.

A Fossum, le général rencontrait un personnage troublant : le jeune lieutenant Löwenhielm hantait ces lieux. Le beau et svelte jouvenceau venait partout à la rencontre de l'homme vieillissant et, en le croisant, il lui lançait un rapide regard, accompagné d'un sourire : le sourire arrogant et hautain de la jeunesse au grand âge.

Peut-être le général aurait-il souri à son tour aimablement, un peu tristement comme font les vieux devant les jeunes, s'il avait été le moins du monde d'humeur à sourire, mais, ainsi que l'écrivait sa tante, il était fort déprimé.

Le général Löwenhielm avait obtenu tout ce qu'il avait pu désirer au cours de sa vie. Tout le monde l'admirait, l'enviait. Il était seul à connaître un fait bizarre, qui contrastait avec sa brillante carrière : le général n'était pas heureux.

Quelque chose clochait quelque part, et il auscultait minutieusement sa propre personne spirituelle, comme l'on promène un doigt attentif sur la chair, où s'est implantée une invisible écharde.

Les rois lui avaient prodigué leurs faveurs; il avait bien réussi dans sa profession; il comptait des amis partout. Ce n'était pas de ce côté-là qu'il fallait chercher l'écharde.

Sa femme était une femme du monde accomplie et toujours belle. Peut-être négligeait-elle un peu son propre foyer pour ses visites et ses invitations? Elle changeait de domestiques tous les trois mois et les repas que le général prenait chez lui étaient servis à des heures irrégulières. Le général, qui appréciait au plus haut point les bons petits plats, éprouvait une légère amertume à l'égard de sa femme et lui attribuait en secret les maux d'estomac dont il souffrait par intermittence. Mais l'écharde ne se trouvait pas là non plus. Non!

Il était arrivé récemment au général une chose absurde : il s'était mis à craindre pour le salut de son âme. Avait-il quelque raison de le faire?

Véritable exemple pour tous, il respectait la

morale et était fidèle à son roi, à son épouse, à ses amis. A certains moments, il avait l'impression que le monde n'obéissait pas à une loi morale, mais à des forces obscures et mystérieuses. Il se regardait alors dans la glace, considérait la brochette de décorations sur sa poitrine et soupirait : « Vanité des vanités, tout est vanité ! »

L'étrange entrevue à Fossum l'incita à faire le bilan de son exercice. Le jeune Lorenz Löwenhielm avait attiré les rêves et les fantaisies de l'imagination, comme une fleur attire les abeilles et les papillons. Il avait lutté pour s'en débarrasser, il les avait fuis; mais rêves et fantaisies de l'imagination ne l'avaient pas quitté. Il avait été blessé par la Huldra, le démon féminin de la légende familiale, et avait décliné son offre de la suivre dans la montagne, refusant avec fermeté le don des visions.

Le général vieillissant découvrit qu'il aspirait à la visite d'un seul petit rêve, et à celle d'un fragile papillon... avant la tombée de la nuit. Il découvrit qu'il désirait ardemment le don de la Huldra, comme un aveugle désire retrouver une vision normale.

Une série de victoires s'étendant sur plusieurs années, et remportées dans de nombreux pays, pouvaient-elles être une défaite ? Le général Löwenhielm avait vu s'accomplir les souhaits du lieutenant Löwenhielm. Ses ambitions avaient été plus que satisfaites. Pour un peu on aurait pu dire qu'il avait gagné tous les biens de la terre. Et voilà qu'en fin de compte l'homme vieillissant, le majestueux officier, doué aux yeux du monde de tant de sagesse, se retournait vers le jeune visage naïf, pour lui demander gravement, presque avec amertume, en quoi avait consisté sa chance. Quelque chose s'était perdu en cours de route.

Lorsque Mme Löwenhielm parla à son neveu de l'anniversaire du pasteur, et qu'il se fut décidé à accompagner sa tante à Berlewaag, cette décision n'était pas une simple acceptation à un dîner. Il avait résolu de régler ce soir-là ses comptes avec le jeune Lorenz Löwenhielm, qui avait fait si triste figure dans la maison jaune, et qui avait fini par secouer la poussière de ses bottes de cavalier. Il voulait que le jeune homme lui prouvât une fois pour toutes qu'il avait bien choisi trente et un ans plus tôt. Les pièces basses de plafond, le poisson séché et le verre d'eau posé devant lui seraient tous appelés à la rescousse pour affirmer que le jeune Löwenhielm n'aurait trouvé que peines et misères en leur compagnie.

Et le général laissa errer ses pensées dans le passé. Un jour à Paris, il avait gagné le Concours hippique, et de brillants officiers de la cavalerie française l'avaient fêté; dans leurs rangs se trouvaient des princes et des ducs. On avait donné un dîner en son honneur dans un des meilleurs restaurants de Paris. En face de lui, à table, une noble dame, beauté célèbre qu'il courtisait depuis longtemps, lui souriait. Au milieu du repas, elle l'avait regardé de ses sombres yeux de velours, par-dessus son verre de champagne, et, sans dire un mot, lui avait promis de le rendre heureux.

Ce soir, dans le traîneau, il s'était brusquement souvenu qu'en cet instant le visage de Martine lui était apparu, et qu'il avait repoussé cette douce image.

Pendant quelques minutes, il prêta l'oreille au tintement des clochettes, et il eut un léger sourire, en pensant que, tout à l'heure, il allait diriger la conversation autour de cette même table, devant laquelle le jeune Lorenz Löwenhielm était resté muet.

Derrière le traîneau, de gros flocons tombaient dru, effaçant ses traces. Le général Löwenhielm restait immobile à côté de sa tante, le menton enfoncé dans son col de fourrure.

X. LE DÎNER DE BABETTE

Lorsque le démon familier aux cheveux roux ouvrit la porte de la salle à manger, et que les invités pénétrèrent lentement dans la pièce, leurs mains se quittèrent, et ils gardèrent un profond silence. Mais ce silence était doux et sympathique, car, par la pensée, ils se tenaient toujours par la main et chantaient encore.

Babette avait posé un des chandeliers au milieu de la table. Les petites flammes éclairaient les complets et les robes noires, ainsi que l'uniforme écarlate du général. Elles se reflétaient aussi dans les yeux humides de la confrérie. A leur lumière, le général Löwenhielm vit le visage de Martine, comme il l'avait vu lors de son départ, trente ans plus tôt.

Trente ans passés à Berlewaag avaient marqué ces traits. Les cheveux d'or étaient maintenant striés d'argent. Le visage, pareil à une fleur, avait lentement pris la teinte de l'albâtre; mais que le front était resté pur! Quelle quiétude rayonnait dans les yeux! Que ces yeux inspiraient confiance! Que le dessin de ces lèvres était suave, comme si jamais elles n'avaient prononcé une parole de colère!

Lorsque tout le monde fut assis, un des membres de la communauté, le plus ancien, rendit grâces, en récitant le verset composé par le pasteur lui-même :

Puisse ce repas maintenir la force de mon [corps,
Puisse mon corps soutenir les forces de mon [âme,
Puisse mon âme, en actes et en paroles,
Louer le Seigneur pour tous ses bienfaits!

Au mot de « repas », les invités inclinèrent leur tête sur leurs mains jointes, se rappelant qu'ils avaient promis de ne pas dire un mot concernant la nourriture, et ils renouvelèrent cette promesse dans leur cœur. Ils n'accorderaient même pas une pensée à ce qu'on leur servirait.

Ils étaient installés autour d'une table servie... Eh bien! n'avait-on pas fait de même aux Noces de Cana? Et la Grâce avait choisi de se manifester à ces noces, dans le vin même, plus abondante que jamais.

« Le familier » de Babette remplit les verres. Les hôtes les portèrent gravement à leurs lèvres pour confirmer leur résolution. Le général Löwenhielm, qui se méfiait un peu de ce vin, en prit une gorgée, s'arrêta, éleva son verre jusqu'à son nez, puis jusqu'à ses yeux : il était stupéfait.

« Ceci est fort étrange, pensa-t-il, voilà de l'"Amontillado", et le meilleur Amontillado que j'aie dégusté de ma vie. »

Un peu plus tard, pour se remettre de sa surprise, il prit une cuillerée de potage, en prit une seconde, puis il déposa sa cuiller. « Etrange! De plus en plus étrange! murmura-t-il, car il est évident que je mange un potage à la tortue, et quel potage! » Pris d'une sorte de curieuse panique, le général vida son verre.

Les habitants de Berlewaag n'avaient pas l'habitude de beaucoup parler en mangeant, mais les langues se délièrent en quelque sorte ce soir-là. Un vieux frère raconta sa première rencontre avec le pasteur; un autre parla du sermon qui l'avait converti soixante ans plus tôt. Une femme âgée, celle qui avait reçu les confidences de Martine concernant ses inquiétudes, rappela à ses amis que, dans l'affliction, le devoir de tous les frères et de toutes les sœurs leur commandait de partager avec empressement les fardeaux des autres.

Le général Löwenhielm, qui devait diriger la conversation, dit que le recueil de sermons du pasteur était un des livres préférés de la reine. Mais l'arrivée d'un nouveau plat réduisit le général au silence.

« Incroyable! Incroyable! se disait-il *in petto*, ce sont des blinis Demidoff! »

Il jeta un regard sur les autres convives : ils mangeaient paisiblement leurs blinis Demidoff, sans le moindre signe de surprise ou d'approbation, comme s'ils n'avaient fait que cela tous les jours pendant trente ans.

De l'autre côté de la table, une sœur évoqua des faits étranges qui s'étaient passés au temps où le pasteur était encore parmi ses enfants et qu'on pourrait qualifier de miracles.

Les autres se rappelaient-ils que le pasteur avait promis de faire un sermon de Noël dans un village situé de l'autre côté du fjord? Il avait fait si mauvais temps pendant quinze jours que pas un marin, pas un pêcheur ne se risqua à faire la traversée. Le village perdit tout espoir de voir arriver le prédicateur. Mais celui-ci annonça que, si aucune barque ne le transportait, il marcherait sur la mer.

– Et vous en souvenez-vous? La veille de Noël, la tempête cessa, le gel s'installa, et le fjord ne fut plus qu'une glace d'une rive à l'autre. La chose ne s'était pas produite de mémoire d'homme.

Le serveur remplit les verres une fois de plus.

Cette fois, les frères et les sœurs reconnurent que ce qu'on leur versait n'était pas du vin, car le liquide pétillait : ce devait être une espèce de limonade. Cette limonade convenait parfaitement à l'exaltation de leurs esprits; ils avaient l'impression qu'elle les emportait au-delà de la terre, dans une sphère plus pure, plus éthérée.

Le général Löwenhielm déposa son verre et, se retournant vers son voisin, lui dit : « Voilà certainement du " Veuve Clicquot " 1860! »

Le voisin lui adressa un sourire amical et lui parla du temps qu'il faisait.

Le serveur de Babette avait reçu ses ordres précis : il ne remplit qu'une seule fois les verres de la confrérie, mais il remplissait celui du général dès qu'il était vide. Or, le général le vidait coup sur coup.

Car comment faut-il qu'un homme de bon sens se comporte quand il ne peut se fier au témoignage de ses sens; mieux vaut être ivre que fou.

La plupart du temps, les habitants de Berlewaag éprouvaient quelques lourdeurs au cours d'un bon repas; il n'en fut pas ainsi ce soir-là. Les convives se sentaient devenir de plus en plus légers, légers matériellement, et légers de cœur au fur et à mesure qu'ils mangeaient et buvaient. Inutile à présent de rappeler les uns aux autres le serment qu'ils avaient fait. Ils comprenaient que ce n'est pas en oubliant le manger et le boire, mais en ayant complètement renoncé à l'idée de boire et de manger, que l'homme mange et boit dans un juste état d'esprit.

Le général, quant à lui, cessa de manger et resta immobile sur sa chaise. Une fois de plus, sa mémoire le ramenait à ce dîner de Paris, auquel il avait pensé dans le traîneau : on avait servi un plat incroyablement recherché et savoureux. Il en avait demandé le nom à son voisin de table, le colonel Galliffet, qui lui avait répondu, avec un sourire, que c'étaient des « cailles en sarcophage », et il avait poursuivi en disant qu'il s'agissait là d'une invention du chef cuisinier du Café Anglais, où ils dînaient en ce moment.

Or, ce cuisinier, connu dans tout Paris pour le plus grand génie culinaire du siècle, était, chose surprenante, une femme.

– En vérité, ajouta encore le colonel Galliffet, cette femme est en train de transformer un dîner au Café Anglais en une sorte d'affaire d'amour, une affaire d'amour de la catégorie noble et romanesque, qui ne fait pas de distinction entre l'appétit physique et l'appétit spirituel. Autrefois, je me suis battu en duel pour l'amour d'une belle dame; aujourd'hui, mon jeune ami, il n'y a pas de femme à Paris pour laquelle je serais aussi prêt à verser mon sang que pour cette cuisinière.

Le général se tourna vers son voisin de gauche :

– Ce que nous mangeons n'est autre que des cailles en sarcophage, dit-il.

Le voisin, qui venait d'entendre la description d'un miracle, accorda à cette remarque un sourire absent; puis il hocha la tête en murmurant :

– Evidemment, que voulez-vous que ce soit d'autre ?

La conversation avait passé des miracles opérés par le maître aux miracles de bonté et de charité accomplis par ses filles. Le vieux frère, qui avait entonné le cantique, cita les paroles du pasteur :

« Les seules choses que nous pourrons emporter en quittant cette vie terrestre seront celles que nous aurons données aux autres. »

Les invités sourirent. Quels nababs ces pauvres et simples filles ne seront-elles pas dans l'au-delà ?

Le général Löwenhielm ne s'étonnait plus de rien. Quelques minutes plus tard, en voyant arriver sur la table des raisins, des pêches et des figues fraîches, il sourit à son vis-à-vis et dit :

– Les beaux raisins !
et le voisin répondit :

– « Ils arrivèrent jusqu'à la vallée d'Eschol, où ils coupèrent une branche de vigne avec une grappe de raisins qu'ils portèrent à deux au moyen d'une perche. » (*Nombres,* XIII, 23.)

Alors, le général comprit que le moment était venu de faire un discours. Il se leva très droit dans son bel uniforme. Nul autre parmi les convives ne s'était levé pour faire un discours. Les vieux membres de la communauté ouvrirent tout grands leurs yeux, dans une joyeuse attente. Ils étaient accoutumés à voir des marins et des vagabonds ivres morts par l'effet de la grossière eau-de-vie du pays, mais ils ne reconnurent pas chez le brillant soldat, qui fréquentait les cours princières, les traces de l'ivresse due au plus noble vin de ce monde.

XI. LE DISCOURS DU GÉNÉRAL LÖWENHIELM

« La clémence et la foi se sont rencontrées, mes amis! dit le général; la justice et la grâce s'embrassent. »

Il s'exprimait d'une voix forte, entraînée sur les champs de manœuvres, et qui avait éveillé d'harmonieux échos dans des salons royaux. Cependant il s'entendait parler d'une façon si nouvelle pour lui, et si étrangement émouvante, qu'il dut faire une pause après la première phrase, car il avait l'habitude de préparer ses discours avec soin, conscient du but qu'il se proposait. Ici, au milieu de la simple congrégation du pasteur, il semblait que le personnage du général et sa poitrine constellée de décorations ne servaient que d'agents de transmission à un message. A un message de la plus haute importance.

« L'homme, mes amis, poursuivit le général, l'homme est fragile et manque de bon sens. On nous a dit à tous que la grâce se trouve dans tout l'univers. Mais notre sottise humaine et nos connaissances bornées nous font croire que la grâce divine a des limites, et c'est pourquoi nous tremblons. »

Jusqu'à présent, le général n'avait jamais reconnu qu'il pût trembler, et il fut sincèrement surpris, voire choqué, en entendant sa propre voix déclarer le fait.

« Nous tremblons avant d'avoir fait notre choix dans la vie, et après, quand ce choix est fait, nous tremblons encore, de peur d'avoir mal choisi. Mais l'heure arrive où nos yeux s'ouvrent, et nous voyons alors que la grâce n'a pas de bornes.

« La grâce, mes amis, ne nous demande rien : il nous faut seulement l'attendre avec confiance et la recevoir avec gratitude. La grâce, mes frères, ne nous impose pas de conditions et ne distingue aucun de nous en particulier; elle nous annonce une amnistie générale. Et, voyez, ce que nous avons choisi nous est donné, et ce que nous avons refusé nous est accordé en même temps. En vérité, ce que nous avons rejeté nous est déversé en abondance. Car la clémence et la foi se sont rencontrées, la justice et la grâce ont échangé un baiser. »

Les frères et les sœurs ne comprirent pas entièrement le discours du général, mais l'expression grave et inspirée de son visage, et le son de paroles infiniment chères bouleversèrent leurs cœurs.

C'est ainsi qu'après trente et un ans le général Löwenhielm réussit à dominer la conversation à la table du pasteur.

On ne peut rien dire de précis sur ce qui se passa ensuite; nul, parmi les invités, n'en garda un souvenir exact. Pourtant ils se rappelèrent tous la clarté céleste qui inondait la pièce, comme si une quantité de petites auréoles se fussent réunies pour ne plus former qu'une seule glorieuse lumière.

De vieilles gens taciturnes reçurent le don des langues; des oreilles sourdes depuis des années s'ouvrirent pour les écouter. Le temps lui-même se confondit dans l'éternité.

Les fenêtres de la maison brillèrent comme de l'or bien après minuit, et des chants harmonieux s'égrenaient dans l'air hivernal.

Les deux vieilles femmes qui, jadis, s'étaient calomniées l'une l'autre évoquèrent ensemble une période bien antérieure à leur querelle, alors que toutes jeunes filles elles se préparaient à leur première communion, et, la main dans la main, s'en étaient allées chantant le long des routes de Berlewaag.

Un membre de la confrérie donna un coup de poing dans les côtes d'un autre, comme font les gamins, et s'écria : « Vous m'avez trompé sur la valeur de ce bois, vieux coquin ! »

Le frère auquel il s'adressait ainsi faillit s'écrouler, tant il était secoué par un immense éclat de rire, tandis que des larmes inondaient son visage.

– C'est vrai, mon très cher frère, c'est vrai.

Halvorsen, le marin, et Mme Oppegaarden se trouvèrent soudain tout près l'un de l'autre dans un coin de la pièce, et échangèrent un long, très long baiser, que les amours secrètes et incertaines de leur jeunesse ne leur avaient jamais laissé le temps de se donner.

Le troupeau du vieux pasteur se composait de petites gens au cœur simple. En se rappelant plus tard la soirée de ce 15 décembre, ils n'eurent jamais l'idée que leur exaltation n'était due qu'à eux-mêmes. Ils comprirent que la grâce infinie, dont parlait le général, leur avait été dispensée. Ils ne s'en étonnèrent même pas, car ils voyaient dans ce miracle la réalisation de leurs propres espérances. Les vaines illusions s'étaient dissipées devant leurs yeux comme de la fumée, et ils avaient aperçu la véritable face du monde. Ils vivaient une heure de l'Eternité.

La vieille Mme Löwenhielm fut la première à partir, et son neveu l'accompagna. Martine et Philippa vinrent jusqu'à la porte pour éclairer leurs hôtes. Tandis que Philippa aidait la vieille dame à s'envelopper de ses châles et de ses couvertures, le général saisit la main de Martine et la retint pendant un long moment sans prononcer une parole. Enfin, il dit :

– J'ai été avec vous tous les jours de ma vie. Vous le savez, n'est-ce pas?

– Oui, dit Martine, je sais qu'il en a été ainsi.

– Et, poursuivit-il, je serai avec vous tous les jours qui me restent à vivre. Chaque soir je m'assiérai à côté de vous, non pas en chair et en os, ce qui ne signifie rien, mais en esprit, ce qui est tout, et je dînerai avec vous, comme ce soir. Car ce soir j'ai appris, ma chère sœur, que dans ce monde tout est possible.

Martine répondit :

– Il est vrai, mon cher frère, que dans ce monde tout est possible.

Ils se séparèrent sur ces mots.

Lorsque, enfin, la société se dispersa, la neige cessait de tomber. La ville et la montagne baignaient dans une splendeur supra-terrestre, et le ciel étincelait d'une myriade d'étoiles.

Dans les rues, l'épaisse couche de neige rendait la marche difficile. Les invités de la maison jaune vacillaient sur leurs jambes, trébuchaient, tombaient assis, tombaient sur les genoux, tombaient face contre terre. Lorsqu'ils se relevaient couverts d'une neige immaculée, il semblait que leurs péchés avaient été lavés à l'exemple de la laine blanche des agneaux.

Dans leur innocence retrouvée, ils bondissaient en effet comme des agneaux.

Pour eux, qui avaient pris toutes choses tellement au sérieux, c'était une grâce d'être redevenus pareils à de petits enfants. Quelle joie aussi de voir les autres dans cet état de seconde enfance vraiment céleste!

Parfois, se tenant immobiles la main dans la main, ils formaient comme la chaîne d'un quadrille des lanciers dont les danseurs eussent été béatifiés.

« Dieu vous bénisse! Dieu vous bénisse! » Ces mots revenaient sans cesse, comme un écho de la musique des sphères.

Martine et Philippa restèrent un long moment sur le perron devant la maison; elles ne sentaient pas le froid.

– Les étoiles se rapprochent, dit Philippa.

Martine répondit doucement :

– Il en sera de même chaque nuit. Il est possible qu'il ne neige plus jamais.

Mais, sur ce point-là, elle se trompait. Une heure plus tard, la neige tombait de nouveau, et on ne vit jamais chute de neige plus abondante à Berlewaag. C'est à peine si l'on put ouvrir les portes le lendemain matin, tant la neige s'était amoncelée devant le seuil des maisons. Elle formait aussi de véritables rideaux devant les fenêtres.

Bien des années plus tard, on racontait que plus d'un brave citoyen de Berlewaag ne s'aperçut pas de la venue du jour et dormit jusque bien avant dans l'après-midi.

XII. LA GRANDE ARTISTE

En fermant leur porte, Martine et Philippa se souvinrent de Babette. Une vague de tendresse et de pitié les submergea : Babette, seule, n'avait pas eu sa part de cette soirée bénie.

Elles se rendirent à la cuisine, et Martine dit à Babette :

– C'était un charmant dîner, Babette.

Et, soudain, le cœur de Martine et de Philippa

se remplit de reconnaissance. Elles se rappelèrent qu'aucun de leurs hôtes n'avait dit un seul mot se rapportant à la nourriture, et, en vérité, elles ne parvenaient pas elles-mêmes, en dépit de tous leurs efforts, à se souvenir des plats qu'on leur avait servis. Martine cependant pensa à la tortue, mais on n'avait pas vu trace de la tortue, et son inquiétude recula bien loin dans le passé. Peut-être avait-elle été l'objet d'un cauchemar?

Assise sur la planche à hacher de la cuisine, Babette était entourée de plus de casseroles, de plus de poêles à frire, noircies et graisseuses, que ses patronnes n'en avaient vu de leur vie. Elle était pâle et avait l'air mortellement épuisée, comme le jour de son arrivée, quand elle s'était évanouie sur le seuil de la porte.

Après un long moment de silence, elle regarda Martine et Philippa bien en face et dit :

– Autrefois, j'étais cuisinière au Café Anglais.

Martine dit encore :

– Tout le monde a été d'avis que ce dîner était charmant; et comme Babette ne répondait pas, elle poursuivit : « Nous nous souviendrons tous de cette soirée quand vous serez rentrée à Paris, Babette. »

Mais Babette dit :

– Je ne reviendrai pas à Paris.

– Vous ne reviendrez pas à Paris? s'écria Martine.

– Non! fit Babette, que voulez-vous que je fasse à Paris? Ils sont tous morts, je les ai tous perdus, Mesdames.

Les deux sœurs pensaient à M. Hersant et à son fils : elles murmurèrent :

– Oh! pauvre Babette!

– Oui, ils sont tous morts! reprit Babette : le

duc de Morny, le duc Decazes, le prince Narishkine, le général Gallifet, Aurélien Scholl, Paul Daru, la princesse Pauline, tous...

Ces noms étrangers, ces titres portés par des gens que Babette disait avoir perdus déconcertèrent légèrement les deux sœurs, mais les paroles de Babette révélaient une détresse si tragique que, dans leur sympathie, elles déplorèrent les pertes de leur servante comme si elles eussent été les leurs, et des larmes leur montèrent aux yeux.

Après un nouveau et long silence, Babette eut un léger sourire et reprit :

– Comment, d'ailleurs, pourrais-je rentrer à Paris, Mesdames ? Je n'ai pas d'argent.

– Pas d'argent ? s'écrièrent les deux autres, d'une seule voix.

– Non, fit Babette.

Martine et Philippa restaient pétrifiées :

– Mais vos dix mille francs ?

– J'ai dépensé dix mille francs, Mesdames.

Le saisissement obligea les filles du pasteur à s'asseoir, et, pendant une minute encore, elles furent incapables de parler.

– Dix mille francs ! balbutia enfin Martine.

Babette riposta d'un ton plein de dignité :

– Que voulez-vous, Mesdames, un dîner de douze couverts coûterait dix mille francs au Café Anglais.

Ces dames restaient muettes : ce que disait Babette leur paraissait inconcevable, mais, de toutes façons, bien des choses qui leur demeuraient inconcevables s'étaient passées ce soir-là.

Martine se rappela l'histoire que racontait un ami de son père, missionnaire en Afrique. Il avait sauvé la vie de la femme favorite d'un vieux chef. Celui-ci, pour lui prouver sa reconnaissance, lui avait offert un magnifique repas.

Ce ne fut que bien longtemps après que le serviteur nègre du missionnaire lui apprit que ce qu'il avait mangé n'était autre qu'un petit-fils, gras et dodu, du vieux chef. On l'avait mis à la casserole en l'honneur du grand sorcier chrétien... et Martine frissonna.

Mais Philippa sentait son cœur fondre dans sa poitrine. Une soirée inoubliable se terminait pour elle par une inoubliable preuve de loyalisme humain et de sacrifice personnel.

– Chère Babette, dit-elle doucement, vous n'auriez pas dû renoncer pour nous à tout ce que vous possédiez.

Babette jeta à sa maîtresse un long regard, un étrange regard, et Philippa crut voir au fond de ses yeux de la pitié et même un peu de dédain.

– Ce n'était pas pour vous, riposta Babette, c'était pour moi.

Elle se leva et s'avança toute droite vers les deux sœurs :

– Je suis une grande artiste! dit-elle.

Une fois de plus, un profond silence régna dans la cuisine, jusqu'à ce que Martine reprît :

– Vous resterez donc pauvre votre vie entière, Babette?

– Pauvre? fit Babette, et elle sourit comme pour elle-même. Non! Jamais je ne serai pauvre. Je vous l'ai dit, je suis une grande artiste. Une grande artiste n'est jamais pauvre, Mesdames. Il nous a été accordé un trésor, dont les autres gens ne savent rien.

La sœur aînée ne trouvait plus quoi dire, mais, dans le cœur de Philippa, vibraient des cordes, muettes depuis longtemps. Elle avait entendu parler du Café Anglais, bien des années auparavant, par quelqu'un qui lui avait cité les noms de la liste tragique de Babette.

Elle se leva et fit un pas vers sa servante :

– Mais, voyons, tous ceux que vous mentionnez, Babette, ces princes, ces grands seigneurs de Paris, vous les avez combattus vous-même. Vous avez lutté avec les communards. Le général dont vous prononcez le nom a fait fusiller votre mari et votre fils. Comment pouvez-vous pleurer ces gens?

Les yeux de Babette rencontrèrent ceux de Philippa :

– Oui, dit-elle, j'étais une communarde, Dieu soit loué; et les gens que j'ai cités, Mesdames, étaient méchants et cruels. Ils ont affamé le peuple de Paris; ils ont opprimé les pauvres et leur ont fait du tort. J'ai été sur une barricade, Dieu merci j'ai chargé les fusils de mes hommes. Et cependant, Mesdames, je ne reviendrai pas à Paris aujourd'hui que tous ceux que j'ai évoqués n'y sont plus.

Elle restait immobile, plongée dans ses pensées.

– Voyez-vous, mes petites dames, dit-elle enfin, ces gens-là m'appartenaient, ils étaient miens. Ils ont été élevés, ils ont été formés pour comprendre quelle grande artiste je suis au prix de dépenses plus grandes que vous ne pourrez jamais l'imaginer ou le croire. J'étais en mesure de les rendre heureux. Quand je faisais de mon mieux, je pouvais les rendre parfaitement heureux.

Elle s'arrêta, puis conclut :

– M. Papin était comme moi.

– M. Papin? s'écria Philippa.

– Oui, M. Papin, ma pauvre dame. Il me l'a dit lui-même : « Quelle épreuve insupportable pour un artiste, disait-il, que d'être encouragé et d'être applaudi pour ne créer et n'exécuter que des œuvres de second ordre. Dans le monde entier, un seul cri monte du cœur de l'artiste : « Permettez-moi de me surpasser! »

Philippa entoura Babette de ses deux bras.

Le corps de la cuisinière semblait de marbre à côté du sien qui tremblait des pieds à la tête. Pendant quelques instants, elle ne parvint pas à articuler un mot, puis elle murmura :

– Mais ceci n'est pas la fin. Je sens, Babette, que ce n'est pas la fin. Au paradis, vous serez la grande artiste que Dieu a faite de vous.

Et elle ajouta tandis que les larmes inondaient ses joues :

– Combien vous enchanterez les anges!

Tempêtes

I. LA VISION DE LA TEMPÊTE

Il y avait une fois un vieil acteur et directeur de théâtre qui s'appelait M. Sörensen. Dans son jeune temps, il avait joué dans les théâtres de Copenhague et il était même allé jusqu'à tenir, au Théâtre royal, le rôle d'Aristophane dans *Socrate,* la tragédie d'Adam Oehlenschläger.

Mais c'était un homme de caractère autoritaire et indépendant qui exigeait de créer et de contrôler le monde qui l'entourait.

Dans son enfance, on l'avait envoyé faire un séjour dans la famille de sa mère, en Norvège, et il avait conservé une passion inaltérable pour ce pays des fourrures, qu'il se représentait toujours dressé vers le ciel et balayé par les grands vents.

Il lut Wergeland, le poète norvégien, et entendit parler de l'aspiration du peuple norvégien pour le grand art, et, dans son âme, naquit une nostalgie secrète. Il eut des visions; il entendit des voix; une couronne l'attendait; il reçut l'ordre de partir pour le Nord.

En dépit de son âge déjà avancé, il arracha ses racines du sol moelleux de Copenhague, pour les replanter dans une terre pierreuse. A cette époque, il y a environ cent ans, les bateaux à vapeur commençaient à peine à faire un service régulier le long de la côte norvégienne.

Mais M. Sörensen voyageait déjà avec sa petite troupe de ville en ville, remontant et redescendant les fjords.

Les vieux amis de Copenhague déploraient entre eux cette chute d'un acteur du Théâtre royal, forcé de se produire sur des scènes provinciales avec des comparses à moitié nuls et devant un public à demi barbare.

Mais M. Sörensen lui-même jouissait intensément de sa liberté. Il s'épanouissait aux mouvements de la houle et au souffle du vent; il était heureux dans les cabinets de toilette aux murs de rondins; il se délectait des courants d'air et des chandelles de suif.

Les soirs de gala, il était l'ambassadeur hautement apprécié des pouvoirs suprêmes : la faveur royale et les décorations lui prêtaient leur lumineux éclat.

D'autres fois, quand il gémissait dans son étroite couchette, sous la griffe impitoyable du mal de mer, il était le prophète durement éprouvé de ces mêmes puissances. Il était Jonas dans le ventre de la baleine, mais, toujours et partout, il restait l' « élu », le voyageur obéissant à sa vocation.

Le caractère de M. Sörensen présentait une sorte de dualité qui était de nature à troubler et à surprendre son entourage. On aurait pu qualifier cette dualité de démoniaque; mais M. Sörensen s'arrangeait fort bien à faire vivre en excellents termes ces deux aspects de son tempérament.

D'une part, M. Sörensen était un homme d'affaires, âpre au gain, sagace, obstiné; rien ne lui échappait. Il avait un flair remarquable quand il s'agissait du profit, et il faisait preuve de l'esprit le plus positif et le plus détaché de toute considération dans ses rapports avec le public en particulier et l'humanité en général.

Mais, en même temps, il servait son art avec un dévouement absolu; il en était le prêtre le plus humble, le plus obéissant, et les paroles : « Seigneur! Je ne suis pas digne... » étaient gravées au plus profond de son cœur.

Dans les contrats de M. Sörensen, on n'aurait pu découvrir un centime à son détriment. Parfois, en mettant son masque devant un miroir terni et ébréché, il entrevoyait soudain, comme en un éclair, la possibilité de s'assurer un avantage sur d'autres gens. Quand il paraissait en scène dans une de ces grosses farces qu'on appelait alors des *Possen*, ou bien qu'il satisfaisait aux goûts vulgaires de son auditoire par des cabrioles, des hurlements, des vociférations, des rugissements, des grimaces, il faisait mentalement le compte minutieux de son gain de la soirée, en s'inclinant la main sur le cœur et le sourire aux lèvres sous la tempête des applaudissements.

Mais, plus tard, lorsqu'il montait dans sa chambre, la chandelle à la main, après avoir absorbé son modeste souper, arrosé d'un petit verre d'eau-de-vie, et qu'il faisait grincer les marches de l'escalier, raide comme une échelle à poules, il allait vers les étoiles, tel un vieil ange sur l'échelle de Jacob. Il s'asseyait à table avec Euripide, Lope de Vega et Molière, avec les poètes de l'âge d'or de son propre pays, et surtout avec celui qui, pour lui, était le plus vivant de tous : William Shakespeare.

Les esprits immortels étaient ses frères : ils le comprenaient comme il les comprenait. Au milieu d'eux, il pouvait s'abandonner librement à la joie, ou bien verser des larmes..., des larmes en proie au plus profond « Weltschmerz ».

M. Sörensen avait parfois été qualifié de « spéculateur éhonté » par ceux qui étaient en relations d'affaires avec lui; mais, dans ses rapports avec les immortels, il était aussi pur qu'une vierge.

Seuls, quelques amis intimes connaissaient la théorie de M. Sörensen, selon laquelle les êtres humains éviteraient de commettre nombre d'actes indignes d'eux, s'ils voulaient bien prendre l'habitude de parler en vers. « Ce n'est pas exactement la rime qui s'impose, disait-il, non, le langage ne devrait pas nécessairement rimer; le vers rimé n'est à la longue qu'une attaque sournoise contre le caractère essentiel de la poésie. C'est en vers blancs, non rimés, que nous devrions exprimer nos sentiments et communiquer les uns avec les autres. La grossièreté de notre nature cède à l'influence des ïambes, qui lui prêtent leur noblesse, et séparent diligemment dans le langage humain le métal précieux de la monnaie de billion du bavardage et de la chronique scandaleuse. »

Dans les grands moments de sa vie, M. Sörensen pensait en vers.

L'officier général de l'état civil à Copenhague (et il n'avait accepté qu'à contre-cœur l'idée de M. Sörensen) était seul à connaître un codicille de son testament, selon lequel, après sa mort, on polirait le crâne du maître, qui figurerait sur la scène pendant les générations futures sous l'aspect de celui de Yorick.

Un jour M. Sörensen, en faisant les comptes de sa dernière mission théâtrale, s'aperçut que celle-ci avait rapporté davantage que toutes les précédentes. Le vieil imprésario comprit que les puissances célestes l'avaient regardé d'un œil favorable et qu'en retour il lui fallait faire quelque chose pour leur plaire. Il décida de réaliser un rêve de sa vie et de monter *La Tempête* de Shakespeare, en se réservant le rôle de Prospero.

A peine sa résolution prise, il sauta hors de son lit et s'en alla faire une longue promenade sous le ciel nocturne. Il regardait les étoiles et se disait qu'il avait été conduit par d'étranges chemins. « Ces ailes, murmurait-il, auxquelles j'ai aspiré toute ma vie, viennent de m'être accordées pour que je les déploie. Je bénis ceux entre les mains desquels j'ai été et je suis ! »

II. UN RÔLE À DONNER

M. Sörensen passa des nuits blanches à attribuer tantôt un rôle, tantôt un autre à ses acteurs masculins et féminins, les traitant comme s'ils eussent été des pions sur un échiquier. Peu à peu, il mit sur pied la distribution des rôles et il en fut très satisfait. Mais, il n'avait trouvé personne qui pût figurer Ariel et s'arrachait les cheveux de désespoir. Il avait songé successivement à ses meilleurs artistes, puis les avait rejetés les uns après les autres quand, un beau jour, son regard tomba sur une jeune fille qu'il avait engagée depuis peu et qui venait de récolter quelques applaudissements dans deux petits rôles. Du fond du cœur de M. Sörensen monta une brusque exclamation : « Mon Seigneur et mon juge, où avais-je les yeux ? J'ai prié à genoux le ciel de m'envoyer un esprit de l'air, dont je puisse me servir. J'ai été sur le point de désespérer et, tout ce temps-là, le plus délicieux

Ariel que le monde ait connu vit sous mes yeux sans que je le reconnaisse! »

Telle était l'émotion du vieil acteur qu'il en oubliait le sexe de son élève!

– Ma petite, cria-t-il à la jeune actrice, vous allez jouer le rôle d'Ariel dans *La Tempête.*

– Moi?

– Vous.

La jeune fille à laquelle il parlait était grande. Un caractère intrépide se révélait dans ses yeux clairs qui exprimaient aussi une réserve pleine de dignité.

En ce qui concernait la moralité de ses jeunes actrices, M. Sörensen avait conservé les hautes traditions du Théâtre royal de Copenhague : il avait parfois remarqué combien cette jolie fille paraissait difficile à approcher. Pour une nature chevaleresque comme celle du directeur, l'expression pathétique du visage avait quelque chose d'émouvant; pourtant, quel homme de théâtre, s'il ne possédait une intuition géniale, aurait imaginé la nouvelle actrice dans le rôle d'Ariel?

« Elle est un peu osseuse, pensait M. Sörensen, parce qu'elle a dû faire maigre chère, pauvre gosse; mais cela ne la dépare pas, parce que son ossature est d'une exceptionnelle noblesse.

« S'il est vrai, comme me le répétait mon directeur de Copenhague, de bienheureuse mémoire, s'il est vrai que la femme est à l'homme ce que la poésie est à la prose, les femmes que nous croisons ou en face desquelles nous vivons jour après jour ne sont-elles pas des poèmes lus à haute voix? On les lit avec goût, et elles plaisent à l'oreille. Ou bien on les lit mal, et c'est un grincement désagréable... Mais cette enfant aux yeux gris est un chant. »

– Eh bien! ma petite, dit-il en allumant un gros cigare, le seul luxe qu'il se permît, nous allons nous mettre à la besogne nous deux, et sérieusement! Nous sommes au service de Shakespeare, le Cygne de Stratford-sur-Avon, et nous ne nous permettrons pas de penser à nous-mêmes, car par nous-mêmes, nous ne sommes rien. Etes-vous prête à tout oublier pour l'amour de Shakespeare?

La jeune fille réfléchit, puis elle rougit et dit :

– Je veux bien si je ne suis pas trop grande.

M. Sörensen l'examina de la tête aux pieds; il tourna même autour d'elle pour être sûr de ne pas se tromper :

– Au diable, ces poids et mesures de surface! fit-il. Je souhaiterais bien plutôt vous voir un peu plus étoffée, car vous êtes en réalité légère comme un ballon d'hydrogène. Plus on le remplit, plus il s'élève. D'ailleurs, notre William est assez intelligent pour se moquer d'une règle aussi désuète que la loi de la gravitation.

« Regardez-moi : je suis de petite taille dans la vie courante; mais croyez-vous qu'il en sera de même quand je jouerai le rôle de Prospero? non, non! Ce qu'il y aura lieu de craindre alors, c'est que la scène soit trop étroite pour moi : l'assistance ne la trouvera pas à ma mesure.

« Quand je commanderai de nouveaux vêtements, ce dont j'ai le plus grand besoin, Dieu le sait! le tailleur, qui a une place au parterre, augmentera ses prix parce qu'il jugera que le volume de ma personne exige beaucoup de tissu. »

Et M. Sörensen poursuivit après une longue pause :

– Je sais que, même parmi les directeurs de théâtre, il s'en trouve qui ont le cœur et les moyens de faire venir sur la scène un Ariel volant, grâce à un mécanisme subtil. Qu'ils aillent au diable! Ces procédés me sont en abomination.

« Les paroles du poète sont chargées de faire voler Ariel.

« Devons-nous, nous qui sommes les serviteurs de notre William, nous fier à un bout de fil de fer plus qu'à ses divines stances? Ici, cela ne se fera qu'en passant sur le cadavre de Waldemar Sörensen.

« Vos mouvements sont un peu lents... C'est ainsi qu'ils doivent être : il ne faut pas un Ariel rapide, ni un Ariel agité :

« Et quand il répond à Prospero :

Je dévore l'espace et suis de retour
Avant que votre pouls ait battu deux fois

le public croit à ce qu'il dit, il le croit certainement. Mais, par Jupiter! il ne doit pas être ainsi parce que le public pense : « Peut-être en est-il capable à la manière dont il s'agite. » Non, non! Car il faut que l'auditoire ne puisse avoir de doutes, même une fraction de seconde, mais que, le cœur tremblant d'émotion, il s'écrie : « Quelle puissance magique! »

Après quelques instants de silence, emporté par son imagination. M. Sörensen reprit :

– Je vais vous dire quelque chose, fillette. On peut tout se figurer. Imaginons qu'une jeune fille soit née avec une paire d'ailes, et qu'elle vienne me voir pour me demander de lui confier un rôle, je lui répondrais : Il y a un rôle dans les œuvres des poètes pour tous les enfants des hommes tant qu'ils sont, et par conséquent, il y en a un pour vous. En vérité, on trouverait, dans le genre de comédie qu'il nous faut représenter de nos jours, plus d'une héroïne qui gagnerait à perdre un peu de son « avoir du poids »[1].

« Que le Seigneur vous soit en aide ! Vous pouvez très bien jouer dans une de ces pièces. Mais vous ne pouvez tenir le rôle d'Ariel parce que vous possédez *déjà* des ailes, et que vous êtes réellement capable de voler sans le secours de la moindre poésie. »

III. L'ENFANT DE L'AMOUR

La jeune fille qui allait être Ariel avait décidé depuis quelque temps d'entrer au théâtre.

Sa mère faisait de la couture pour les dames de la société, dans une petite ville située sur le fjord, et sa fille, assise à côté d'elle, sentait son cœur se gonfler, comme la mer sous l'effet de la tempête. Parfois, elle s'imaginait qu'elle allait en mourir. Mais elle n'en savait pas plus sur les mouvements du cœur que sur ceux de la mer. Et, le visage un peu pâli, elle reprenait son dé et ses ciseaux.

Son père était un capitaine de vaisseau écossais, du nom d'Alexandre Ross. Son bateau avait eu une avarie en faisant route pour Riga. Il avait fallu le faire réparer dans le port de la petite ville et les travaux s'étaient prolongés durant tout l'été. Au cours de ces mois d'inaction, le grand et beau capitaine, qui avait navigué tout autour de la terre et pris part à une expédition antarctique, avait semé l'agitation dans bien des esprits parmi la population du pays.

1. En français dans le texte.

Lui-même, avec la hâte et l'énergie qui caractérisaient tous ses actes, s'était épris d'une des plus charmantes jeunes filles de la ville et avait épousé cette enfant de dix-sept ans, fille d'un employé des douanes. Bien que tout émue et confuse, elle n'avait pas cédé sans résistance. Cependant, elle avait quand même fini par être Mme Ross, avant de s'en rendre bien compte.

– C'est la mer qui m'a amené, mon petit cœur! murmurait le beau capitaine à son oreille, dans son mauvais et adorable norvégien.

« Arrête-toi, mouvement des vagues! Arrêtez-vous, battements du cœur! »

Le bateau du capitaine fut réparé vers la fin de l'été. Le capitaine serra sa jeune épouse dans ses bras, l'embrassa, posa une pile d'écus d'or sur sa table à ouvrage et lui promit de revenir avant Noël pour l'emmener en Ecosse. Elle resta debout sur le quai, enveloppée du beau châle de l'Inde qu'il lui avait donné, et le regarda partir. Elle et lui avaient vécu une parfaite union; à présent, il ne faisait plus qu'un avec son navire. Depuis ce jour-là, elle ne le revit jamais plus et jamais n'entendit parler de lui.

Au printemps suivant, la jeune femme, après la longue et terrible attente des mois d'hiver, comprit que le navire avait sombré et qu'elle était veuve. Cependant, les voisins commencèrent à clabauder : jamais le capitaine Ross n'avait eu l'intention de revenir! Un peu plus tard, on prétendit qu'il s'était déjà remarié chez lui, en Ecosse; on le tenait de son propre équipage.

Il y avait dans la ville des gens qui blâmaient une fille si pressée de se jeter dans les bras d'un marin étranger. D'autres éprouvaient de la sympathie pour la petite Norvégienne abandonnée et auraient aimé lui venir en aide et la réconforter. Mais il y avait dans leur empressement à la consoler et à la secourir une nuance qui la heurtait et qu'elle ne supportait pas.

Avant même la naissance de son enfant, Mme Ross avait employé l'argent que son mari lui avait laissé à l'achat d'un petit magasin de modes. Elle ne mit de côté qu'un souverain, car ne fallait-il pas que l'enfant héritât de l'or pur de son père ?

Dès cette époque, elle vécut à l'écart de sa famille et de ses anciennes relations en ville. Elle n'avait rien contre toutes ces personnes, mais celles-ci ne lui permettaient pas de penser sans cesse à Alexandre Ross.

Et quand les bords du fjord se parèrent à nouveau de jeune verdure, elle mit au monde une fille. L'enfant, elle l'espérait, l'aiderait plus tard dans son entreprise.

Mme Ross avait fait baptiser sa fille du nom de Malli, parce que son mari lui chantait une chanson où il était question d'une jeune Ecossaise de ce nom. Cette Malli était parfaite en tout.

Mais elle disait à ses clients, qui regardaient la petite, couchée dans son berceau, dans la boutique, que Malli était un nom en usage dans la famille de son mari; la mère d'Alexandre Ross s'appelait elle-même Malli, et la jeune femme finit par croire ce qu'elle racontait aux autres.

Durant les mois de sa grossesse, qu'elle avait passés dans une angoisse grandissante, se sentant de plus en plus environnée de ténèbres, son enfant avait été pour elle la seule preuve certaine de l'existence de son mari. Le petit être, qui se développait et s'agitait dans son sein, n'était pas l'enfant d'un mort.

Mais, à présent que les rumeurs concernant Alexandre Ross étaient parvenues jusqu'à elle, le bébé lui prouvait avec la même force que son mari était mort. Comment une petite fille aussi bien portante et aussi belle aurait-elle été pour sa mère le cadeau d'un imposteur?

En grandissant, Malli devinait, sans que Mme Ross l'eût jamais confirmé par des paroles, ce dont elle eût été d'ailleurs incapable, l'importance mystérieuse, à la fois tragique et bénie, de sa propre existence dans celle de cette mère, si douce et si solitaire. Pourtant, la mère et l'enfant vivaient paisibles et heureuses à l'écart du monde.

Quand la petite eut l'âge de voir et de connaître d'autres gens, elle entendait parler de son père. Douée d'un esprit vif et d'une oreille sensible aux nuances des conversations et aux intonations des voix, elle ne fut pas longue à comprendre le genre de réputation que la ville avait faite au capitaine Ross. Personne ne sut ce qu'elle pensait de cette découverte, mais elle prit le parti de sa mère contre le monde entier avec la plus vive énergie. Elle montait la garde autour de Mme Ross comme une sentinelle en armes. Ses manières pleines de réserve révélèrent une sagesse précoce.

Sans exprimer sa pensée, sans bien s'en rendre compte, elle-même, elle décida que personne ne trouverait jamais chez la fille une confirmation des « on dit », selon lesquels la mère aurait été séduite par un mauvais garnement.

Cependant, quand Malli était seule, elle se laissait aller à rêver avec bonheur à ce père, si grand, si beau. Que lui importait qu'il eût été un aventurier, un capitaine de vaisseau suspect, pareil à ceux dont on entendait parler aux temps de guerre, et pourquoi pas un corsaire ou un pirate?

Sous ses apparences paisibles, elle cachait une vitalité joyeuse. A son mépris arrogant pour les concitoyens de la petite ville, se mêlait une tendre indulgence pour sa propre mère : elle-même et Alexandre Ross savaient mieux qu'eux tous à quoi s'en tenir. Mme Ross était fière de cette enfant obéissante et réfléchie. Sa vanité maternelle paraissait un peu ridicule à son entourage. Elle fit donner à Malli des leçons d'anglais par une vieille fille, arrivée dans la petite ville au bord du fjord en qualité de gouvernante des filles du baron Löwenskjöld, il y avait de cela des années.

Malli apprit la langue de son père dans la petite pièce au-dessus de l'épicerie qu'habitait la vieille Anglaise, au nez en bec d'aigle. Et cette petite pièce fut le lieu d'une rencontre décisive pour la jeune fille.

Un jour qu'elle étudiait Shakespeare, la vieille demoiselle fit à son élève la lecture de passages de son poète chéri d'une voix tremblante et les larmes aux yeux. Cette exilée affirmait ainsi son haut lignage et sa fortune, et elle introduisait la fille de la modiste dans la société de ses nobles et brillants compatriotes. De ce jour, Malli vit Alexandre Ross sous l'aspect d'un héros de Shakespeare, et au fond de son cœur elle s'écriait comme Philip Faulconbridge :

Madame, je ne voudrais pas un père meilleur [que le mien,
Certains péchés sont un privilège sur cette terre,
Il en est ainsi des vôtres.

Dans son enfance, Malli était grande pour son âge, mais elle ne prit que lentement une allure féminine. A seize ans, lors de sa première communion, elle avait encore l'air d'un jeune garçon efflanqué. Puis, brusquement, elle devint belle.

Aucune créature humaine n'est plus riche d'expérience qu'une fille au visage ingrat, aux gestes gauches, qui devient une ravissante personne en l'espace de quelques mois. Ce changement est à la fois pour elle une merveilleuse surprise et l'accomplissement d'un grand espoir; c'est une faveur en même temps qu'un avancement mérité.

Le navire a été encalminé, ou bien il a été ballotté par la tempête; mais, à présent, les voiles blanches se gonflent, et il vogue vers le large. La rapidité de sa marche le fait caler autant à l'arrière qu'à l'avant.

Malli fit voile vers l'avenir avec la même audace dont elle aurait fait preuve si le capitaine Ross, en personne, avait été à la barre.

Les jeunes hommes se retournaient à son passage. Il y en eut qui s'imaginèrent que sa situation exceptionnelle ferait d'elle une proie facile, mais ils se trompaient. Malli acceptait bien d'être la fille d'un corsaire, mais elle ne consentait à aucun prix à jouer le rôle de proie.

Enfant, elle avait eu le cœur tendre; jeune fille, elle fut sans pitié. « Ce seront eux qui seront mes victimes! » se disait-elle.

Cependant cette attitude, qui ne cessait d'alterner entre la défensive et l'offensive, ne laissa pas que de troubler sa prime jeunesse.

Et, puisque maintenant nous abordons l'histoire de Malli, le lecteur est libre de se figurer que, si l'état des choses n'avait pas changé, Malli aurait pu devenir ce que les Français appellent une « lionne ». Mais, en réalité, elle ne fut qu'un lionceau, quelque peu semblable à un petit chien dans ses mouvements et de plus toujours hésitante quant à l'estimation de ses propres forces.

IV. MME ROSS

Il arriva qu'un soir Malli assista à une représentation au petit théâtre de la ville, donnée par la troupe de M. Sörensen. Cet événement lui révéla tout à coup, avec une clarté aveuglante, la force de ses aspirations, comme si une flèche divine l'avait brusquement atteinte en plein cœur. Avant la fin de la pièce, elle avait pris la décision irrévocable de se consacrer à l'art dramatique.

En rentrant du théâtre, elle voyait la rue se soulever et s'abaisser tout autour d'elle.

De retour chez elle, elle prit ses livres, et sa petite chambre se transforma : elle fut Vérone, par une nuit d'étoiles; elle fut une crypte; elle se couvrit de verdure, s'emplit des chants suaves et de la musique de la forêt d'Arden. Puis les flots bleus de la Méditerranée vinrent mourir devant l'île de Chypre.

Quelques jours plus tard, le cœur tremblant comme si elle affrontait le Jugement dernier, Malli se rendit en secret au petit hôtel qu'habitait M. Sörensen.

On l'introduisit chez le vieux directeur, et elle lui récita quelques passages qu'elle avait appris par cœur.

M. Sörensen l'écouta, la considéra avec attention, la regarda encore; après quoi, il se dit en lui-même : « Elle a quelque chose, cette fille-là. »

Ce « quelque chose » était de telle nature qu'il

garda la jeune fille à l'essai pour trois mois. Il pensait : « Laissons-la mûrir un peu dans l'atmosphère du théâtre; nous verrons quel sera le résultat de cette expérience. »

Malli annonça alors sa résolution à sa mère, et le voisinage n'en eut connaissance que trop tôt. La vie et la carrière d'une actrice étaient inconcevables pour les habitants de la petite ville, et d'un caractère fort douteux. La situation particulière de Malli l'exposait à être jugée sévèrement, voire à être tournée en ridicule. Mais la jeune fille était si sûre d'elle-même, et si, auparavant, elle s'était parfaitement rendu compte de ce que l'on pensait et disait d'elle en ville, elle l'ignora totalement à partir de ce moment-là.

Elle fut même sincèrement étonnée de la consternation de sa mère, le jour où elle lui exposa ses projets.

Mme Ross ne s'était jamais vue dans l'obligation de contraindre en quoi que ce soit la nature de sa fille. Elle ne songeait pas à faire valoir son autorité, comme les autres mères. Le conflit qui les opposait aujourd'hui, elle et Malli, la plongea dans un abîme d'horreur et de chagrin, tandis que Malli restait inflexible dans sa décision. Il y eut quelques scènes violentes entre les deux femmes, scènes qui auraient pu amener soit l'une, soit l'autre, à se jeter dans le fjord.

Mais alors Malli trouva un secours inespéré : son père, mort ou disparu, devint son allié.

Mme Ross avait aimé son mari et avait eu confiance en lui, bien qu'elle ne l'eût jamais compris. Maintenant, que ce fût sa punition ou sa récompense, elle était forcée, pour l'éternité entière, de l'aimer et de croire ce qu'elle ne pouvait comprendre.

Si les projets de Malli avaient été du domaine de ses propres conceptions, elle aurait pu trouver un moyen de les combattre, mais elle perdait pied en face de cette folie et de cette insouciance. D'étranges souvenirs, des coïncidences inattendues la troublaient, et elle se sentait envahie d'une douceur inconnue.

Tout en combattant le désir obstiné de sa fille, elle revivait sa brève vie conjugale. De jour en jour, elle éprouvait les mêmes surprises, les mêmes émotions. La force étrangère, mais ensorcelante, qui l'avait subjuguée jadis, l'assiégeait à nouveau de tous côtés. Malli usait de persuasion et de séduction de la même manière que le capitaine Ross vingt ans plus tôt.

Mme Ross se souvenait que le beau capitaine s'était agenouillé devant elle, en murmurant : « Laissez-moi rester à vos genoux, c'est ma vraie place ! »

Elle s'éprit d'amour pour la fille, comme elle était tombée amoureuse du père, de sorte qu'elle en oublia que les années avaient passé, et que ses tempes grisonnaient. Elle rougissait et pâlissait en présence de Malli, et tremblait quand la jeune fille la quittait. Elle sentait sa propre faiblesse quand Malli la regardait, ou lui parlait, mais cette faiblesse se transformait en une grâce pareille à la réalisation d'un rêve.

Lorsque, enfin, après une entrevue orageuse, elle accorda, tout en larmes, sa bénédiction à sa fille, il lui sembla presque qu'elle se mariait une seconde fois.

Dès lors, elle ne se désola plus et ne craignit plus rien. Tandis que la ville s'attendait à la voir désespérée, quand Malli partit avec la troupe de M. Sörensen, la mère et la fille prirent congé l'une de l'autre avec tendresse et en parfaite entente.

V. LE MAÎTRE ET L'ÉLÈVE

Malli apprit par cœur le rôle d'Ariel, et M. Sörensen se chargea lui-même de la perfectionner dans son art.

Il ne lui accordait de repos ni de nuit ni de jour. Il la grondait, il l'injuriait avec une cruauté voulue; il se moquait de l'expression de son visage, de ses intonations; il pinçait ses bras minces, les faisant passer du bleu au noir, et un jour même il la gifla.

Les autres membres de la troupe, qui avaient été les témoins stupéfaits de l'ascension soudaine de Malli et auraient bien pu en être jaloux, la plaignirent au contraire de tout leur cœur.

Mamzell Ihlen, la principale actrice, une beauté aux longs cheveux noirs, qui devait tenir le rôle de Miranda, osa protester, une ou deux fois, contre les procédés du directeur envers Malli.

Le jeune premier, garçon remarquable pour sa jambe fine, eut moins de courage : il se contenta d'attendre dans les coulisses sa nouvelle camarade pour la réconforter un peu quand elle traversait la scène en chancelant, après une répétition.

Mais ni les uns ni les autres n'osaient trop s'approcher sur la scène, ou en dehors de la scène, de la victime de M. Sörensen et ils ne se risquaient même pas à en parler beaucoup entre eux. Non par manque de sympathie, car ils étaient aussi désarmés, en face de ce qui se passait devant leurs yeux, que les gens qui assistent à la croissance d'un jeune arbre sous les incantations magiques d'un fakir.

Ces relations de cause à effet peuvent susciter

l'admiration ou le malaise; elles ne permettent ni de juger ni de condamner.

Cependant la joie de M. Sörensen augmentait à chaque leçon, et Malli s'apercevait que, s'il se mettait en colère, c'était par sollicitude pour elle. Il n'agissait que par amour.

Il advint aussi qu'un jour le vieil acteur, en plein accès de fureur, s'arrêta brusquement et fixa sur son élève un regard scrutateur :

– Répétez-moi cette tirade, dit-il humblement et avec une grande douceur.

Et quand Malli répéta :

Vous êtes grâce à moi hors de vous-même
Et je vous vois cette espèce de courage
Qui fait que les hommes se perdent ou se [noient

M. Sörensen resta muet pendant un moment, comme quelqu'un qui ne peut croire au témoignage de ses yeux et de ses oreilles. Enfin, il poussa un profond soupir et retrouva son équilibre en récitant les paroles de Prospero :

Ce personnage de harpie
Tu l'as joué à merveille, mon Ariel.

Et, hochant la tête, il reprit la leçon.

Parfois, dans l'exubérance de sa fierté, il donnait à Malli une petite tape paternelle sur le derrière, puis, s'adressant plus à lui-même qu'à son élève, il exposait ses théories concernant la beauté féminine :

– Combien de femmes, disait-il, ont la taille à la place qu'il faudrait. Chez quelques-unes d'entre elles, Dieu leur soit en aide!, elle descend jusqu'aux talons. Vous, ma poulette, vous avez de longues jambes.

Et il ajoutait gaiement, en mâchonnant son cigare :

– Vos petons ne vous mèneront pas vers les bas-fonds. Oh non ! Vos deux jambes sont de nobles colonnes, bien droites, qui emportent votre petite personne vers les sommets.

Un jour, le maître se frappa la tête et s'écria :

– Et moi qui croyais que je gratifierais de souliers de satin une fille de ce genre ! Fou que j'étais ! Fou qui ignorait que seules les bottes de sept lieues étaient chaussures à sa taille.

VI. UNE TEMPÊTE

C'est ainsi que de jour en jour Malli incarnait davantage le personnage d'Ariel, tandis que M. Sörensen se transformait en Prospero. On avait déjà fixé au 15 mars la date de la première représentation de *La Tempête*, quand un événement tragique et imprévu vint brusquement frapper M. Sörensen, Malli et toute la troupe des comédiens. Cet événement fut assez sensationnel pour défrayer pendant longtemps toutes les conversations à cent lieues à la ronde; mais il eut l'honneur d'être relaté en première page du journal *Les Dernières Nouvelles de Christianssand*, sous le titre : UNE HÉROÏNE. Voici cet article :

Au cours du mauvais temps qui a sévi la semaine dernière sur la côte, il s'est produit une catastrophe qui, selon toutes prévisions humaines, aurait pu causer la perte déplorable de nombreuses vies, ainsi que celle d'un beau navire.

Mais, au dernier moment, la grâce divine et le courage d'une vaillante jeune fille ont changé le cours des choses. Nous présentons à nos lecteurs un bref compte rendu de ce qui s'est passé.

Le mercredi 12 mars, le bateau de transport Sophie-Hosewinckel *a quitté Arendal, pour se rendre à Christianssand. La visibilité était faible; il neigeait et le vent soufflait toujours du sud. Vers la fin de l'après-midi, il augmenta et prit une violence folle. Nous savons tous que ce fut une des tempêtes les plus dangereuses qui, de mémoire d'homme, ont ravagé notre côte. La* Sophie-Hosewinckel *avait seize passagers à bord et parmi eux se trouvait M. Waldemar Sörensen, le célèbre et très estimé directeur de théâtre, avec sa troupe. Tout ce monde allait donner une représentation à Christianssand.*

Le navire avait atteint Kvaasefjord au prix de grandes difficultés, quand l'ouragan se déchaîna dans toute sa fureur. Obligé de se mettre en panne, le vaisseau n'en fut pas moins entraîné vers les récifs au-delà de Randsund, sans qu'il fût possible de faire aborder les passagers, à cause du brouillard et des rafales de neige. La Sophie-Hosewinckel *eut la chance de dépasser les récifs qui s'avançaient le plus au large et de pénétrer dans des eaux un peu plus calmes, à l'abri d'un petit îlot. Mais alors le navire vint heurter de front un rocher submergé et fut envahi aussitôt par une quantité d'eau.*

Pendant la tempête, le capitaine lui-même, ainsi que deux membres de son équipage avaient été blessés, et le second avait toutes les peines du monde à maintenir l'ordre à bord. Il s'avéra que les paquets de mer avaient fracassé un des canots de sauvetage. Mais nos vaillants marins parvinrent à mettre à flot l'autre canot, qui pouvait contenir vingt personnes.

Les passagers, ainsi que les membres de l'équipage indispensables pour faire manœuvrer l'embarcation, s'y installèrent dans l'intention de ramer jusqu'à l'îlot.

Seule, une jeune fille de dix-neuf ans, Mlle Ross, qui fait partie de la troupe d'acteurs de M. Sörensen, annonça sa décision de rester à bord, avec un noble courage, abandonnant à un des marins sa place dans le canot.

Le second projetait de ramener celui-ci au navire pour charger les passagers restés à bord; mais, au cours du débarquement sur l'îlot, le frêle esquif fut mis en pièces. Ses occupants arrivèrent sains et saufs sur le rivage, mais il était dorénavant impossible de reprendre le contact avec le navire. On le distinguait à peine entre les rafales de neige et les embruns.

Un peu plus tard, il parut évident qu'une vague soulevait la Sophie-Hosewinckel *au-dessus de son lit rocheux et nul ne douta que sa dernière heure ne fût arrivée.*

A bord, chacun se rendait compte du danger imminent : la Sophie-Hosewinckel *s'emplissait d'eau et allait sombrer.*

Les dix hommes d'équipage, qu'on avait laissés sur le bateau, saisis d'effroi, furent sur le point de renoncer à toute lutte contre les éléments. Cependant, ils voulurent, en dernier recours, manœuvrer la Sophie-Hosewinckel *pour la rapprocher le plus possible du rivage.*

Mais cette dernière tentative, dans une obscurité complète, eût, selon toute probabilité, provoqué la perte totale du navire.

Ce fut à ce moment-là qu'intervint

Mlle Ross, comme si elle eût été guidée par une puissance supérieure. Seule femme sur un bateau en perdition, elle fit reprendre cœur à ses compagnons par son indomptable énergie.

Cette très jeune fille se rendit d'abord dans la chaufferie et persuada le machiniste et les autres chauffeurs de redonner toute la vapeur. Elle les aida elle-même à accomplir le dangereux effort de mettre les pompes en action et, le travail fait, resta avec intrépidité à côté des hommes de quart à la barre.

Pendant toute la nuit, tandis que la Sophie-Hosewinckel *était en panne sur les brisants et s'enfonçait d'heure en heure plus profondément, l'esprit héroïque d'une jeune fille réussit, chose incompréhensible, à prendre de l'ascendant sur nos marins et leur redonna du courage pour se battre contre la mort.*

Il est tout aussi extraordinaire qu'une femme jeune, n'ayant aucune expérience de la navigation, ait été douée d'une force pareille.

Nous devons rendre justice également au dévouement d'un jeune marin, du nom de Ferdinand Skaeret, qui, dès le premier moment, resta aux côtés de Mlle Ross et exécuta strictement ses ordres tout le long de cette nuit de tempête, où la voix de la jeune fille, qui appelait à plusieurs reprises Ferdinand, dominait la rumeur des flots.

Aux premières heures de la matinée du jeudi 13 mars, une accalmie se produisit et, dès l'aube, on parvint à faire traverser le fjord de Christianssand à la Sophie-Hosewinckel *et à l'échouer, à demi submergée, près de l'île d'Odder. De là, on put sauver le navire sans difficultés.*

Au moment même où nous mettons sous presse, le propriétaire du navire, notre très honoré citoyen Jochum Hosewinckel, ainsi que les mères et les épouses de nos braves marins bénissent du fond de leurs cœurs Dieu et l'héroïque jeune fille pour le sauvetage du bateau.

VII. LE COURAGE

Pendant la nuit de tempête décrite par le journal *Les Dernières Nouvelles de Christianssand,* toutes les fenêtres du premier étage restèrent éclairées dans la belle demeure de la place du marché qui appartenait à l'armateur Jochum Hosewinckel.

L'armateur lui-même faisait les cent pas d'une pièce à l'autre : il s'arrêtait un instant pour prêter l'oreille aux hurlements du vent, puis reprenait sa marche. Toutes ses pensées allaient vers ses navires qui étaient en mer cette nuit-là, et il songeait surtout à la *Sophie-Hosewinckel* revenant d'Arendal. Le navire avait été baptisé du nom de la sœur préférée de Jochum Hosewinckel : cette Sophie était morte depuis de longues années, à l'âge de dix-neuf ans.

Vers le matin, l'armateur s'endormit dans la chaise du grand-père, près de la table, et, à son réveil, il était persuadé que le navire était perdu corps et biens.

A ce moment-là, Arndt, le fils de Jochum, dont l'appartement se trouvait dans une aile de la maison, entra chez son père, couvert de neige de la tête aux pieds. Il revenait du port et annonça que la *Sophie-Hosewinckel* était saine et sauve, échouée près de l'île d'Odder. Un pêcheur avait apporté la nouvelle aux premières lueurs du jour.

Jochum Hosewinckel appuya la tête sur ses mains jointes et se mit à pleurer.

Arndt lui raconta alors comment le navire avait été sauvé. Ce récit remplit le vieil armateur d'une joie telle qu'il voulut incontinent la faire partager à tous ses amis parmi les gens de mer. Prenant le bras de son fils, il se rendit au port et, de là, fit le tour de la ville. L'heureuse nouvelle fut accueillie partout avec étonnement et joie. On ne cessait d'en répéter les détails, et plus d'un verre fut vidé en l'honneur du sauvetage de la *Sophie-Hosewinckel* et à la santé de Mlle Ross.

Après cette affreuse nuit, Jochum Hosewinckel se sentait plus heureux qu'il ne l'avait été depuis des années. Il fit dire à sa femme de préparer la chambre occupée jadis par sa sœur Sophie, pour y recevoir la jeune héroïne à son arrivée à Christianssand. Vers la fin de l'après-midi, une barque de pêche de l'île d'Odder amena les rescapés au port. La moitié de la population de Christianssand assista au débarquement; tout le monde saluait joyeusement l'armateur, et une tradition particulière, ou plutôt une légende de la famille de Jochum Hosewinckel ajoutait à ces saluts une sorte de ferveur religieuse.

La mer restait tumultueuse; il avait cessé de neiger; le ciel était sombre; seule à l'horizon apparaissait une faible raie de lumière et, à l'instant du coucher du soleil, les eaux prirent une teinte cuivrée dont le reflet éclaira les visages des assistants. On reçut la barque avec l'enthousiasme qu'une nation de navigateurs accorde à des héros. Tous les yeux cherchaient la jeune fille qui avait sauvé la *Sophie-Hosewin-*

ckel, et l'imagination de la foule en faisait un ange.

Mais nul ne la découvrit tout de suite, car elle avait échangé ses vêtements mouillés contre un chandail, un pantalon et des bottes de marin, et, dans cet accoutrement trop grand pour elle, elle ressemblait à un mousse.

Le désappointement et l'inquiétude s'emparèrent de l'assistance, quand un gros homme se dressa dans la barque et, soulevant Mlle Ross, s'écria : « Voilà un trésor pour vous ! »

Le costume de matelot transformait l'ange en un être pareil à eux. Les assistants sentirent leur cœur se fondre à cette vue. Une acclamation assourdissante se fit entendre. Aussitôt, les bonnets et les casquettes volèrent en l'air et des sourires illuminèrent tous les visages. Quelques hommes pleuraient. Le suroît de la jeune fille était tombé quand le marin l'avait dressée face au public massé sur le quai, et ses cheveux crépelés par l'eau de mer et la neige formaient une véritable auréole autour de sa tête.

La voyant chanceler, un jeune homme la prit dans ses bras et la porta au rivage. Ce jeune homme était Arndt Hosewinckel. Malli le regarda : il lui sembla que jamais encore elle n'avait vu d'aussi beaux traits. Arndt lui rendit son regard.

Très pâle, elle avait les yeux profondément cernés et les lèvres tremblantes. Il sentit le jeune corps, vêtu du grossier costume de matelot, contre le sien. Une boucle de cheveux effleura sa bouche, elle avait une saveur salée.

La mer elle-même semblait avoir jeté cette jeune fille dans les bras d'Arndt Hosewinckel.

Pendant quelques secondes, elle n'eut pas conscience de ce que représentait la masse noire en face d'elle; ses yeux clairs et grands ouverts cherchèrent ceux d'Arndt. Mais, au même instant, elle entendit que l'on criait son nom. L'air vibrait littéralement sous l'effet de ces acclamations enthousiastes.

Une vive rougeur envahit les joues pâles de Malli et, d'un seul coup, elle s'abandonna toute à ces inconnus, avec un élan de joie pareil au leur. A ce radieux visage de jeune fille, si proche du sien, Arndt donna un baiser.

La foule s'écarta pour faire place au vieil armateur. La tête découverte, il adressa d'une voix profonde quelques paroles émues à l'assemblée et, en premier lieu, à Malli. Arndt la protégeait en riant contre toute la ville de Christianssand prête à la serrer dans ses bras. Quand on comprit que Jochum Hosewinckel allait l'emmener dans sa propre demeure, les vivats éclatèrent et tout le monde accompagna l'armateur et son invitée jusqu'à la porte de la maison.

Ferdinand, le marin, admiré et acclamé, lui aussi, comme un héros de ce grand drame qui finissait si heureusement, habitait en ville avec sa mère veuve. On le porta chez lui en triomphe.

Les rescapés sur l'îlot d'Odder débarquèrent à Christianssand un peu plus tard, et l'atmosphère de fête se prolongea de la sorte fort avant dans la soirée.

M. Sörensen, avec une promptitude remarquable, comprit la situation nouvelle où il se trouvait. Il ne s'attarda pas à penser aux souffrances qu'il venait d'endurer, mais se para du reflet de la gloire de sa jeune élève. Son attitude affirmait, avec une puissante autorité, que c'était lui qui avait créé Malli, et qu'elle était sienne.

A part cela, rien ne lui apparaissait clairement et, en particulier, quels étaient les avantages et les désavantages du monde qui l'entourait. Au cours de la nuit, il avait pris un sérieux enrouement et, à présent, il était affligé d'une véritable extinction de voix. Il resta pendant plusieurs jours après le naufrage dans un silence complet, le cou enveloppé d'écharpes de laine. Le bruit courut en ville que, pendant la tempête, les cheveux du directeur de théâtre avaient blanchi à la pensée du danger que courait Mlle Ross. En réalité, c'était la perruque brune de M. Sörensen qui s'était envolée dans les flots pendant la traversée en canot de sauvetage. M. Sörensen supporta cette perte avec calme, sachant qu'il échangeait un bien temporel contre une expérience valable pour l'éternité et, d'ailleurs, il récupérerait une perruque dès que son vieux sac de voyage lui serait rapporté du bord.

Bientôt tous les membres de la troupe furent réunis sur la terre ferme. Pâles et chancelants, ils n'en étaient pas moins fiers et animés d'une indomptable vaillance. Dans la barque, Mlle Ihlen s'était enveloppée de sa belle chevelure noire comme d'un manteau. Le jeune premier aux boucles blondes composa une *Ode au vent du nord,* le lendemain même du sauvetage. Son œuvre parut dans le journal quotidien de Christianssand. Les rédacteurs, plus avertis que lui au point de vue de la météorologie, estimèrent qu'on ne peut attendre d'un poète qu'il connaisse à la fois l'art de faire des vers et celui d'interpréter les indications de la boussole.

Il fallut remettre à plus tard les représentations théâtrales. Cependant, la semaine suivante, les acteurs donnèrent un avant-goût de leur talent en jouant des extraits de leur programme dans la petite salle de l'hôtel de l'« Harmonie ». Le propriétaire de l'hôtel, en raison des circonstances particulières et émouvantes, permit à la troupe de rester chez lui à prix réduit. Et quand il s'avéra que les costumes et les accessoires de théâtre avaient été endommagés par l'eau salée sur la *Sophie-Hosewinckel*, on fit une collecte en faveur des victimes. Elle rapporta une jolie somme et, dans son lit, M. Sörensen, faute de pouvoir parler, eut le temps de réfléchir sur la façon dont le public évaluait les mérites des artistes, respectivement dans leur art et dans leur vie.

L'élégante demeure de la place du marché avait ouvert ses portes à Malli et les avait refermées sur elle, par une reconnaissance généreuse et spontanée pour la jeune fille solitaire, qui avait risqué sa vie pour l'un des navires de la maison Hosewinckel.

La réalité et la fantaisie sont étrangement mêlées pour ceux qui vivent près de la mer et par la mer.

Pendant les premiers jours qui suivirent l'arrivée de Malli, une sorte de terreur sacrée se lisait sur les visages de ses hôtes quand ils se tournaient vers elle. La mer, cette puissance toujours présente, et toujours mystérieuse et inconnaissable, avait-elle renoncé à son emprise sur la jeune fille ? Une des énormes lames qui soulevaient les bateaux dans le port n'allait-elle pas aspirer Malli en se retirant, de sorte que, la cherchant dans sa chambre, on trouverait cette chambre vide, avec une trace d'eau de mer et de varech sur le plancher, pareille à celle que les fantômes, surgis de la mer, laissent après eux ?

Pourtant, au bout de quelques jours, la maison reprit plus de confiance et Malli devint comme une image symbolique : elle représentait à la fois, pour la famille Hosewinckel, un navire qui avait été en détresse dans la tempête, et aussi la jeune Sophie Hosewinckel, dont la beauté en fleur s'était épanouie dans les pièces mêmes où vivait Malli à présent.

Jamais encore, elle n'avait pénétré dans une aussi belle maison. Elle contemplait avec respect les lustres de cristal, les rideaux de dentelles, les portraits de famille dans leurs cadres dorés, les bahuts en bois de camphrier. Pour un peu, elle leur aurait fait la révérence. Et voici que, dans cette demeure, on la comblait d'attentions : on lui apportait du café et des brioches dans son lit et, sur son lavabo, elle trouvait du savon à la violette !

Elle restait fort intimidée et ne parlait guère, ne disant rien de ses exploits, sauf quand il lui fallait répondre à des questions. Mais elle se sentait heureuse et, toute souriante, allait et venait au milieu des sourires.

Elle avait remarqué, le jour de son arrivée, la surprise que sa beauté suscitait autour d'elle. Quand elle était entrée chez l'armateur, c'était avec un visage blafard et sali, et dans des vêtements qui ne lui allaient pas. Mais, entre ces murs amicaux, elle se voyait devenir de plus en plus belle chaque fois qu'un miroir lui renvoyait son image. La vieille demeure souriait aussi, parce qu'elle avait jugé au premier abord que Malli était laide, alors qu'en réalité c'était une jeune personne charmante.

Alors Malli, approuvée par la maison elle-même, risqua un pas en avant et chercha à pénétrer dans l'intimité des êtres qui vivaient entre ces murs. Elle se sentait surtout à l'aise dans la compagnie du vieil armateur.

Parfois elle se demandait si elle aimait se trouver avec des hommes parce que son père lui avait manqué pendant tant d'années. Peut-être devinait-elle aussi qu'elle leur donnait beaucoup par ses regards, ses mouvements, sa voix.

Elle était plus timide en face de la maîtresse de maison. Mme Hosewinckel était une dame fort imposante, dans sa robe de soie noire et sa longue chaîne de montre en or, qui pendait sur sa poitrine. Elle avait un large visage délicatement rosé. Malli se disait qu'elle ressemblait à la reine Thora, dans *Axel et Walborg.* Mme Hosewinckel ne parlait guère, mais la reine Thora ne prononce qu'une seule phrase, adressée à son fils : « Que Dieu te pardonne! », et pourtant l'auditoire sait qu'elle est bonne et majestueuse, et pleine de sympathie pour les nobles caractères.

Quant au fils de la maison, Arndt Hosewinckel, Malli ne savait rien de lui sinon que ses traits lui avaient paru d'une merveilleuse beauté, quand il l'avait portée dans ses bras sur le rivage.

VIII. LA MAISON DE LA PLACE DU MARCHÉ

Jochum Hosewinckel et son épouse étaient gens craignant Dieu. Leur demeure était la plus somptueuse de la ville et la plus charitable envers les pauvres.

Mariés jeunes, ils avaient vécu heureux ensemble, mais, pendant de longues années, leur union était restée sans enfants.

Il était de tradition, dans la famille Hosewinckel, de vénérer le Seigneur à l'église le dimanche et de lui offrir, matin et soir, des prières à la maison. Mais jamais on ne se permettait d'intercéder auprès de Dieu pour obtenir quelque avantage personnel. Ce n'était que par leur vie honnête et juste que les époux exposaient leurs espérances au Tout-Puissant. Leur silence cachait parfois une question troublante mais à peine formulée : Pourquoi le Seigneur restait-il sourd à leur secret désir? Cependant, dix-neuf ans après leur mariage, la prière inexprimée des époux Hosewinckel fut entendue, et leur fils vint au monde. La reconnaissance des parents se manifesta ouvertement : au baptême de leur enfant, ils firent d'importantes donations qui, toutes, portèrent le nom d'Arndt Hosewinckel. Et, de ce jour, l'hospitalité de la maison de la place du marché devint proverbiale. Mais l'armateur et sa femme éprouvèrent peu à peu une sorte de gêne devant la fortune qui ne cessait de leur sourire.

Car, depuis sa plus tendre enfance, leur fils avait été doué d'une beauté si radieuse que les parents s'arrêtaient, muets d'admiration, pour le voir. En grandissant, il se révéla aussi fort intelligent, prompt à assimiler tout ce qu'on lui apprenait et d'une élévation de sentiments supérieure à celle de ses camarades. Dès qu'il eut l'âge voulu, on l'envoya à Lübeck et à Amsterdam, pour l'initier au secret du commerce maritime. Et, partout, son jugement était clair, ses manières agréables, et la rectitude de sa conduite lui gagnait la confiance et l'affection de ses supérieurs.

A vingt et un ans, il devint l'associé de son père dans la compagnie de navigation, et il y fit preuve d'une connaissance remarquable de tout ce qui se rapportait aux navires et à la navigation. Ce qu'il entreprenait, il le menait à bien : les marins et les employés étaient heureux de travailler sous ses ordres.

En outre, il aimait plus particulièrement la musique, jouait du piano et chantait.

Depuis quelques années, une ombre ternissait le bonheur de ses parents : Arndt Hosewinckel ne semblait pas d'humeur à se marier. Plusieurs membres de la famille étaient morts jeunes et célibataires, comme si leur nature eût été trop supérieure à celle de ce monde pour se mêler à lui. En serait-il ainsi de cet enfant unique né tardivement, et si précieux?

Cependant les époux Hosewinckel ne s'inquiétèrent pas outre mesure. Après tout, leur fils était un homme droit, honorable, il se montrait chevaleresque à l'égard de toutes les jeunes filles de Christianssand, et il n'aurait qu'à choisir parmi elles dès qu'il en manifesterait le désir.

Tous ceux qui rencontraient Arndt Hosewinckel se réjouissaient de le voir si beau, admiraient sa force et les nobles proportions de son corps, la perfection de ses traits, et son expression à la fois ouverte et réfléchie. Ils se disaient que ce jeune homme avait été comblé, dès son berceau, de tout ce que peut désirer un être humain, et peut-être au-delà.

Et encore, les autres ignoraient tout ce qu'Arndt avait reçu. Sa nature réceptive et profonde avait connu un expérience personnelle.

Arndt était âgé de quinze ans quand la fille d'un pêcheur de Vatne entra chez les Hosewinckel en qualité de servante. Elle avait un an de plus que le fils de la maison, mais ce beau garçon, riche et admiré de tous, éveilla une passion irrésistible dans le cœur de la petite campagnarde à demi sauvage. Incapable de cacher ses sentiments, elle fut la maîtresse d'Arndt avant même que les deux enfants s'en rendissent bien compte. Arndt lui-même était trop jeune pour se sentir coupable. Il n'avait jamais éprouvé aucune crainte, de quoi aurait-il eu peur à présent? Ce qu'il désirait naturellement ne pouvait être en conflit avec une noble conduite et une forme de pensée élevée. Un attrait, d'une suavité inconnue, le poussait vers Guro (c'était le nom de la jeune fille). Il se livrait avec elle à un jeu d'autant plus exquis qu'il était secret : ils se souriaient; ils se désiraient du fond de leurs cœurs.

Lorsqu'il lui arrivait de songer à ses parents, et à cette époque il y pensait à peine, Arndt se disait : « Ils ne comprendraient rien à ce que j'éprouve ! »

Ils étaient tellement plus âgés que lui, alors qu'il se sentait lui-même plein d'ardeur et d'esprit d'entreprise. Son père et sa mère étaient à ses yeux des gens trop posés, incapables d'avoir jamais joué le jeu qui l'enchantait à ce moment-là.

Les amours secrètes, dont la maison de l'armateur fut témoin, durèrent six semaines. Puis, une nuit, Guro entoura de ses bras le cou de son jeune amant et s'écria en sanglotant : « Arndt ! Je suis une créature perdue parce que je t'ai rencontré et que j'ai levé mes yeux sur toi ! »

Le lendemain, elle avait disparu. Deux jours plus tard, on retrouva son corps dans le fjord.

Arndt revit Guro quand on transporta son cadavre glacé à la maison. L'eau salée ruisselait de ses vêtements et de ses cheveux. La raison de sa résolution désespérée fut bien vite connue. Elle attendait un enfant.

Pendant trois jours, le jeune garçon crut qu'il était responsable du malheur et de la mort de la petite servante. Mais, quand le père et la mère de Guro vinrent en ville pour chercher le corps de leur fille, on apprit que celle-ci avait eu une liaison à Vatne avant d'aller à Christianssand. Son amant lui avait été infidèle, mais, revenu à de meilleurs sentiments, il était venu la voir en ville, à deux reprises, pour demander à Guro de l'épouser. Mais elle ne voulait plus rien savoir de lui.

Les parents Hosewinckel furent désolés d'apprendre la sombre et triste histoire qui s'était passée sous leur toit. Ils répugnaient à en parler en présence de leur fils, mais ils jugèrent inévitable, et même de leur devoir, de lui dire brièvement la vérité. Ils ajoutèrent à leur récit quelques paroles solennelles au sujet du « salaire du péché ».

Cette vérité, qu'il entendit de la bouche de ses parents, délivra Arndt de ses remords, mais il sembla que, du même coup, elle emporta tout ce qui, pour lui, avait compté et le laissait les mains vides. Il ne lui restait plus qu'un regret poignant au cœur, regret non pas tant de la jeune fille et du bonheur qu'elle lui avait donné, mais de la confiance qu'il avait eue en ce bonheur et en Guro. Il avait eu la révélation d'une félicité secrète et la preuve de son bonheur, puis, brusquement, cette joie de vivre s'avérait inexistante et illusoire.

Les paroles de Guro résonnaient encore à son oreille, telle une prophétie fatale : il porterait malheur à qui le rencontrerait, à qui s'intéresserait à lui, et à ceux mêmes qu'il aimerait le plus : « Je suis une créature perdue parce que je t'ai rencontré » avait dit Guro en pleurant, son visage pressé contre celui d'Arndt.

Ces événements décisifs s'étaient succédé dans sa vie en l'espace de quelques mois, sans que personne s'en doutât.

Et cet enfant choyé avait été averti de la sorte, dans une absolue solitude, des réalités les plus importantes de ce monde.

Il y avait douze ans que Guro était morte, et depuis lors Arndt avait voyagé et s'était trouvé en face de circonstances et des gens de toute sorte.

Il s'était fait des amis dans divers pays; il avait connu des jeunes filles, aussi jolies et aussi amoureuses de lui que la fille des pêcheurs de Vatne. Il ne pensait plus à Guro et se souvenait à peine d'avoir préféré jadis rester à l'écart de ses semblables, de peur d'être cause de leur perte.

IX. UN BAL À CHRISTIANSSAND

Les dames et les messieurs de la meilleure société de la ville se rendaient à la maison de la place du marché pour présenter leurs respects à Mlle Ross. Un jour, ils décidèrent de donner un bal en son honneur, dans la salle de l'« Harmonie. »

Jusqu'alors, Malli avait circulé dans la somptueuse habitation des Hosewinckel dans sa modeste et unique robe, sans même y penser. Elle n'avait jamais possédé de robe de bal. Or ce fut Mme Hosewinckel qui fit confectionner, en toute hâte, par sa propre couturière, une toilette de tulle, à volants et large ceinture, pour sa jeune invitée.

La vieille dame resta surprise, le soir du bal, de constater avec quelle grâce la fille de la modiste portait ses atours, et elle se demanda si elle n'avait pas tort, si toute la ville n'avait pas tort, de remercier celle qui avait commis un acte héroïque, en la traitant comme un jouet.

Elle aurait pu s'épargner cette inquiétude. La manière d'agir de ses admirateurs était de nature à tourner la tête à toute autre jeune fille.

Mais, ici, les admirateurs avaient affaire à une personne qui acceptait avec reconnaissance d'être traitée comme un jouet, et qui, en même temps, jouait elle-même avec la ville entière, son port, ses rues, son hôtel de ville et ses habitants. Malli alla donc au bal, mais elle n'y prit part qu'à moitié, car elle n'avait jamais appris à danser.

Une des dames du comité la pria alors de chanter pour les autres, et Malli y consentit avec plaisir. Chacun fut heureux d'entendre cette voix pure et claire. Les vieux messieurs, qui jouaient aux cartes, élevèrent à sa santé leurs verres de punch, lorsqu'elle leur chanta une chanson de mer de leur jeune temps.

Ensuite, une jeune fille lui suggéra de chanter un air à danser; Malli s'arrêta un instant, comme un oiseau perché sur un arbre, puis, avec un ravissement dont elle avait été longtemps privée, elle entonna l'air d'Ariel, *son* air :

Venez par les sables jaunes,
Donnez-vous la main,
Saluez, embrassez-vous!

Dorment les eaux folles
De-ci de-là, doux esprits
Menez danses agiles
Et puis, chantez le refrain!
Ecoutez.

La danse suivait le rythme de la chanson. Malli, debout au centre de la salle étincelante de lumière, regardait tournoyer la foule onduleuse, qui semblait obéir aux appels de sa voix.

Ferdinand avait été invité au bal, et Malli se réjouissait de le revoir et de bavarder avec lui, car, depuis la nuit de la tempête, elle n'en avait plus de nouvelles. Mais le jeune homme avait fait savoir par un petit mot qu'il ne viendrait pas. Et ce fut Arndt Hosewinckel qui attira l'attention de Malli. Elle l'avait aperçu qui causait avec de vieux marchands. Cependant, en l'entendant chanter, il s'arrêta de parler pour l'écouter, et quand elle chanta pour les danseurs, il dansa avec les autres. Comme il dansait bien !

Un coup d'œil suffisait pour comprendre la place qu'il tenait dans cette salle de bal, et ce que pensaient de lui les charmantes jeunes personnes, qui, elles, avaient appris à danser.

Mais, en regardant danser le plus distingué des jeunes gens de la ville, la modeste fille, qui avait payé son entrée au seul bal de sa vie en risquant cette vie elle-même, en sut davantage que toutes les autres sur la véritable personnalité d'Arndt Hosewinckel : « Grand Dieu ! Quelle profonde détresse ! » se dit-elle. Et elle ajouta, dans le fond de son cœur : « Je puis le secourir, je puis l'aider dans cette détresse, et le sauver. »

Malli n'alla pas se coucher sitôt rentrée du bal : elle resta longtemps assise devant son miroir, dans sa belle robe légère. Et Arndt Hosewinckel ne se mit pas au lit non plus; il sortit au contraire pour faire une longue promenade. Il lui arrivait assez fréquemment de se promener ainsi pendant la nuit jusqu'au port, et même au-delà des entrepôts, jusqu'au fjord.

X. ÉCHANGE DE VISITES

Malli exprima le désir d'aller voir M. Sörensen, toujours souffrant, et Arndt s'offrit à l'accompagner pour lui indiquer le chemin de l'hôtel et présenter lui-même ses respects à l'homme qui, en même temps que la jeune fille, avait été exposé à tant de dangers à bord de la *Sophie-Hosewinckel*.

M. Sörensen avait quitté son lit pour un fauteuil, mais il restait toujours quasi muet. Le théâtre avait marqué d'une telle empreinte les rapports du vieillard et de la jeune élève que Malli, dès qu'elle eut envisagé la situation, fit de la visite une vraie pantomime. On eût dit que le vieux maître était nécessairement devenu sourd parce qu'il avait perdu la voix.

Le maître et l'élève s'épanouissaient dans leur société réciproque. Malli devina très vite que la beauté d'Arndt faisait une vive impression sur le directeur; elle devina même ses pensées. M. Sörensen se disait en effet : « Ah! Si j'avais pu dénicher un jeune premier pareil à ce garçon! »

Mais ce dont Malli ne se doutait pas, c'est de la surprise qu'éprouvait M. Sörensen en la regardant elle-même, et de la réflexion qu'il faisait in petto : « Comment cette fille a-t-elle pu prendre en quelques jours une poitrine d'un modèle aussi harmonieux? »

Il constatait avec admiration que tous les mouvements de Malli avaient acquis un moelleux, une douceur incroyables, tandis que, par ses gestes et les expressions de son visage, elle lui parlait de l'amitié dont on ne cessait de la combler depuis qu'elle avait été séparée de lui.

Quand il fut temps pour les deux visiteurs de prendre congé du convalescent, M. Sörensen prit la main de Malli et, la serrant avec toute la force qui lui restait, il essaya de dire, était-ce dans un murmure, ou dans un sifflement enroué : « Alors! voilà donc, mon charmant Ariel, eh bien! Tu va joliment me manquer! »

En écoutant ces sons éraillés, Malli retrouva sa propre voix, et elle s'écria tout émue : « C'est vous qui allez me manquer! », oubliant qu'il n'avait, en aucune façon, été question de départ. M. Sörensen resta seul et pendant quelques jours, il fut en proie à une profonde émotion. Il comprenait l'état d'esprit de son élève, et d'ailleurs certains regards le lui avaient révélé. Par quelle puissance le monde entier, la vie quotidienne, s'identifiaient-ils avec une représentation théâtrale. « Que ta volonté soit faite! William Shakespeare, tant sur la scène qu'au salon! »

Voici qu'en vérité Ariel, l'Ariel de M. Sörensen, déployait une paire d'ailes et s'élevait dans les airs, droit devant ses yeux. Et, tout à coup, il se souvint du jour où, jeune acteur lui-même, il avait rêvé, dans l'exubérance de son cœur, d'une pareille apothéose.

Il lui arriva, au cours des deux ou trois nuits qui suivirent la visite de Malli, de faire le même rêve dans le lit étroit de sa chambre d'hôtel : il se voyait participant à l'aventure de Malli. Il était son partenaire, tantôt faisant, en qualité de beau-père, une visite au jeune roi et à la jeune reine de Naples, tantôt jouant le rôle de fou de la maison Hosewinckel. Cependant, dès qu'il s'éveillait, il chassait ces idées folles. Il avait acquis beaucoup d'expérience et de discernement pendant sa longue vie, et toute personne sage et pleine d'expérience, et en vérité toute autre personne qu'une jeune actrice amoureuse, aurait jugé paradoxal et essentiellement blasphématoire, de transporter sur la scène la vie de tous les jours.

Il semble plus logique que ce soit la vie de tous les jours qui cherche à abaisser la scène à son propre niveau, et non la scène qui prêtât de telles dimensions à la vie de tous les jours. Le monde, en ce cas, ne risquerait-il pas de s'écrouler pêle-mêle ?

Poursuivant ses réflexions, M. Sörensen ne se dissimulait pas qu'il allait perdre son Ariel, et que le grand espoir de sa vie ne se réaliserait pas. Il en éprouvait un grand chagrin.

« Pourquoi, se demandait-il, a-t-il fallu que cette affreuse tempête du Kvaasefjord éclate en plein milieu de *La Tempête* de William Shakespeare ? serait-il possible que la volonté de cette enfant, insensible à la peur, eût influencé les éléments ? »

Dès que le vieux directeur eut à peu près retrouvé l'usage de ses cordes vocales, il se rendit à son tour à la maison de l'armateur. A l'occasion de cette visite, il arborait une paire de gants couleur lavande, dont la splendeur contrastait avec sa vieille redingote et son chapeau haut de forme élimé, mais qui étaient en harmonie avec son maintien et le ton de sa voix. Ses manières, si courtoises et si prévenantes, faillirent intimider Mme Hosewinckel, qui n'était pas accoutumée à la distinction, raffinée, et aux compliments des hommes du monde. M. Sörensen s'inclinait à chaque minute et ne se lassait pas de vanter tout ce que contenait la pièce. S'il avait omis de faire l'éloge d'un seul objet, il se hâtait de réparer sa négligence, comme s'il eût voulu faire d'humbles excuses aux glaces placées entre les fenêtres, ou à la vue sur la place du marché. Il s'écriait : « Quel magnifique, quel splendide intérieur ! Quels trésors collectionnés dans la vieille Europe, et à quels prix ! Et ces splendeurs provenant des Indes et de la Chine ! Oh ! les délicieux chandeliers ! les merveilleuses reproductions de vaisseaux majestueux ! »

M. Sörensen et Malli restèrent seuls au salon pendant quelques instants, alors M. Sörensen, posant un doigt sur ses lèvres, envoya un baiser à Malli et lui dit d'un ton solennel : « Ma petite, tu es la favorite de dame Fortune ! »

Puis il détourna les yeux devant le regard clair et ferme de Malli, tira de sa poche un vieux mouchoir de soie, se tamponna le front et se mit à réciter à mi-voix, plus pour lui-même que pour la jeune fille :

Mon Pégase est paresseux,
Il fait l'école buissonnière

Mais attends un peu, vieille rosse,
Je te montrerai qui de nous deux est le [maître.

Le vieux directeur prit congé après avoir exécuté une nouvelle série de gracieux saluts, et Malli resta debout à la fenêtre, le suivant des yeux, tandis qu'il traversait fièrement la place, et disparaissait au tournant d'une rue.

XI. UNE HISTOIRE DE FIANÇAILLES

Ceux qui avaient accueilli Malli par des cris de joie au moment où la barque accostait au port, furent parmi les premiers à penser que la jeune fille resterait parmi eux, au lieu de poursuivre son voyage avec M. Sörensen et sa troupe. On pourrait dire que, dans la ville de Christianssand, cette idée se développa en forme de spirale : au fur et à mesure que les spires se rapetissaient, la spirale s'élevait plus haut, tant dans la sphère sociale, que dans la sphère émotive. Lorsque, enfin, elle atteignit ceux dont la ville se préoccupait ainsi, elle se trouva du même coup au point crucial de tension de leur destinée.

Dans une société restreinte, où il se passe peu de choses, on bavarde beaucoup en général; et les fiançailles constituent un sujet de conversation et de discussion rêvé. Plus on s'intéresse aux jeunes gens qui sont sur le point de se fiancer, plus les conversations sont vives et animées. Mais, chose digne de remarque, le cas présent ne fit guère parler de lui.

Arndt Hosewinckel était l'enfant chéri et le champion de la ville, avec lequel personne ne pouvait rivaliser.

Malli était son héroïne. Cependant, quand des liens plus étroits se nouèrent entre ces deux-là, et que, dans l'esprit des autres, ils ne furent plus qu'un, il sembla que leurs personnes échappèrent à tout commentaire. Un souffle d'intime compréhension passa sur la ville, mais on prononça moins souvent qu'auparavant les noms d'Arndt et de Malli.

Les bonnes gens de Christianssand se réjouissaient à l'idée d'un mariage entre le fils Hosewinckel et Mlle Ross. C'était à nouveau l'heureuse fin, à la fois étonnante et prévue, de l'histoire de Cendrillon et du prince. La ville offrait ce qu'elle avait de plus beau en récompense d'une belle action.

Les femmes de marins étaient tout à la fois heureuses et émues en voyant les portes de la maison jaune de la place du marché s'ouvrir toutes grandes à une belle enfant sans fortune, fille d'un capitaine de vaisseau noyé en mer. A la joie de ces femmes ne se mêlait aucun mauvais sentiment à l'égard de l'armateur et de son épouse. Car n'avait-on pas proclamé, dès l'arrivée au port, que la fiancée était un trésor? et Malli était devenue le symbole même de la mer, nourricière et destin de tous; elle rapprochait, comme fait la mer elle-même, l'humble petit peuple de la ville de ses habitants les plus riches.

Dans son développement en spirale, l'idée pénétrait dans les demeures de la haute société.

Pendant un jour ou deux, le bon renom de Malli courut de grands dangers, car on s'interrogeait sur les origines de l'héroïque jeune fille. N'avait-on pas affaire à une aventurière qui jouait avec l'admiration et la reconnaissance de la ville, dans l'intention de faire un mariage au-dessus de son rang? Malli elle-même rétablit presque immédiatement la balance en sa faveur. Les vieux messieurs qui l'avaient vue au bal furent les premiers à la déclarer innocente de tout calcul, et leurs épouses, qui étaient de braves femmes, et qui avaient souvent tremblé pour les bateaux et leurs équipages, se rappelaient l'attitude de Malli pendant la tempête, et reconnurent que rien dans cette attitude ne pouvait être mal interprété.

Peut-être que les filles des bourgeois de Christianssand pour lesquelles Malli avait chanté, se disaient-elles chacune en particulier que, si Arndt Hosewinckel ne lui était pas destiné à elle-même, elle le céderait à la jeune fille du navire en perdition plus volontiers qu'à toute autre.

Peut-être aussi ces aimables personnes, qui se connaissaient toutes depuis le berceau, ignoraient-elles trop peu leurs imperfections réciproques? Ne savait-on pas que telle jeune beauté, qu'on admirait pour ses petits pieds, avait un cor, pour s'être fait faire des chaussures trop étroites? Et que dire de telle autre, dont les brillantes tresses dorées n'avaient pas entièrement poussé sur sa propre tête?

De l'étrangère, on ne savait rien, sauf qu'elle était pauvre, mal habillée, trop grande pour être élégante, et qu'elle n'avait pas appris à danser. Mais sa timidité exprimait une telle confiance dans la beauté de son entourage, une si vive appréciation de cette beauté, qu'en sa présence chacun se sentait plus beau qu'il ne l'était en réalité.

Il arrivait parfois aussi que les jeunes contemporaines de Malli découvrissent que son rire différait du leur : ce rire avait éclaté en pleine tempête, ou plutôt il en faisait partie.

Bientôt l'idée encore à peine consciente pénétra dans la maison sur la place. Elle trouva un écho chez les serviteurs avant d'être admise au premier étage, et cet écho fut d'une extrême importance. Les serviteurs acceptaient Malli; ils firent même silencieusement cercle autour d'elle, la future jeune maîtresse, qui ne possédait qu'une seule robe, et trois pièces de lingerie de rechange, et qui chantait d'une voix si douce.

Le jugement porté sur Malli fut connu enfin dans le grand salon, aux murs couverts de tableaux représentant de majestueux navires, et le salon s'emplit du silence de l'attente.

La spirale était montée haut; ici, elle s'identifiait à l'avenir lui-même. Elle trouva l'atmosphère du salon prête à l'accueillir comme l'instrument accordé pour exécuter une mélodie.

Le vieux maître de la maison était à cette époque de fort heureuse humeur. Une délicate teinte rosée colorait ses joues; il mettait de belles cravates et apportait des cadeaux, des dentelles pour sa femme, des bonbons pour Malli. Le sauvetage miraculeux de son navire pendant la nuit de tempête avait donné à sa vie, si exactement réglée, une note héroïque et romanesque.

Il avait perçu le souffle de la tempête et entendu la chanson du vent dans les voiles. Il lui convenait tout à fait à lui, le futur beau-père, d'être emporté par une héroïne comme par un ouragan.

Peut-être Jochum Hosewinckel aurait-il jugé dangereux, dans la vie journalière, d'étendre à la vie journalière son enthousiasme pour une action d'éclat, et l'armateur aurait éprouvé quelque hésitation à recevoir une héroïque belle-fille, fût-elle la pucelle d'Orléans en personne, si ses exploits eussent été accomplis loin de chez lui, et sur la terre ferme. Mais l'auréole de Malli avait été acquise en mer, entre des brisants et sous les embruns salés.

Jochum Hosewinckel s'était trouvé dans sa prime jeunesse sur un bateau en perdition, qui appartenait à son père. Il n'avait nulle objection contre une belle-fille qui lui rappelait ses dix-huit ans.

L'origine obscure de Malli aurait pu jeter une

ombre sur la jeune fille, qui allait et venait dans la maison, mais, puisque la mer elle-même s'était montrée son alliée, on admit tout naturellement qu'il existait entre elles deux une harmonie parfaite, et Alexandre Ross, qui avait sombré avec son navire ne pouvait être qu'un homme honorable. La fermeté de la fille sur la *Sophie-Hosewinckel* devint même, d'une façon presque mystérieuse, la preuve de la respectabilité du père. Jochum Hosewinckel se souvint d'un certain commandant Ross, vieux Suédois ami de son père, lui aussi d'origine écossaise. Un mystère planait également sur la vie de ce marin, qui peut-être était un parent du capitaine de vaisseau noyé dans un naufrage. Il était bien possible qu'on eût affaire à une famille de héros.

Mme Wencke Hosewinckel, peu bavarde à son habitude, s'étonnait en silence de la rapidité des hommes à prendre position en face d'un événement. Elle observait le visage de son fils, prêtait l'oreille au son de sa voix, et attendait son heure. Finalement la spirale atteignit son sommet, c'est-à-dire que les deux jeunes gens, destinés à être « l'heureux couple », prirent conscience de ce qu'on pensait et disait. Ils en furent surpris comme d'une étonnante et brillante idée, venue de ce monde extérieur, qu'ils avaient oublié. Pendant quelques semaines, ils avaient vécu dans un univers imaginaire. Mais, puisque le monde réel leur accordait sa bénédiction, ils l'acceptèrent joyeusement, et, depuis cet instant-là, les créations de l'imagination cédèrent le pas à la vie de chaque jour.

Pour Malli, ce fut comme l'accomplissement parfait de sa propre ascension. Un jour, elle avait été gratifiée d'une paire d'ailes, et ces ailes s'étaient miraculeusement développées, s'avérant capables de l'emporter jusqu'à cette indicible gloire. Elle se trouvait sur un sommet vertigineux, mais la chute ne l'effrayait pas, car si elle tombait ce serait toujours dans les bras d'Arndt. Partout, et à tout moment, Arndt la recevrait, la soutiendrait. A présent, elle allait être sa femme, elle porterait son nom; elle ferait du foyer d'Arndt son foyer; elle allait...

Ainsi vous allez partager tout ce qu'il pos-
[sède
Sans le diminuer vous-même en rien
(Roméo et Juliette.)

Elle avait rêvé, en tremblant, de jouer le rôle de Juliette. Maintenant la vie lui accordait un rôle aussi merveilleux. Elle, la jeune fille d'Arendal qui ne consentirait pas à être donnée comme un prix à qui que ce soit.

Le bonheur d'Arndt était de nature différente. Les promesses des jours passés, qu'il avait bannies de son esprit, reprenaient vie et allaient à nouveau s'accomplir. Ce monde agité, désorganisé et vide reprenait son unité, redevenait un cosmos sous le regard d'une jeune fille. Arndt avait recueilli au port la vaillante fille sans fortune, qui avait sauvé l'un des navires de son père. Elle était bien la dernière dont il eût voulu faire le malheur, et il ne songeait pas à prendre pour elle la forme du destin. Il l'avait embrassée, et, pour se faire pardonner ce baiser, il s'était écarté de Malli au début du séjour de la jeune fille chez ses parents.

Mais un jour, Malli avait levé vers lui un regard brillant et candide. Ce regard disait clairement que ni Arndt, ni personne autre au monde, ne pouvait rendre malheureuse cette petite étrangère, et il frappa le jeune homme comme un avertissement, un peu moqueur, du sort. Arndt regarda Malli à son tour, s'approcha d'elle, lui parla. Et voici que lui-même se trouvait en face de son destin, un destin au regard clair, un destin généreux, *sans arrière-pensée*[1].

Certes, Malli était une héroïne, une fille au cœur de lion, de l'avis de tous; mais la vérité n'était pas entièrement celle qu'on croyait. Malli n'avait aucune raison de rien craindre, car, où qu'elle se trouvât, le danger n'existait pas. Il y aurait toujours des naufrages et des malheurs, mais les naufrages, les détresses, les malheurs changeaient d'aspect, devenaient des signes évidents de la puissance de la grâce de Dieu.

Au cours de la nuit, Ardnt eut une vision de ce qu'il était avant l'arrivée de Malli, et il pensa : « Elle possède le pouvoir de réveiller les morts. » Et, juste avant l'aube, le visage de Guro lui apparut. Il n'avait plus pensé à elle depuis plusieurs années. Il se rappela alors qu'ils avaient été heureux ensemble, riches de leur désir et de leur tendresse pendant les nuits de printemps, pareilles à cette nuit d'aujourd'hui. Et Arndt comprit que, dans cette dernière nuit de printemps de la vie de Guro, la mer avait saisi la jeune fille dans une puissante étreinte, où se mêlaient la force, l'amour et le pardon, et aussi l'oubli.

Et l'écho répétait dans la maison obscure : « Ce sont les âmes d'élite qui portent le fardeau. »

Il serait logique de croire qu'Arndt demanda tout simplement à Malli d'être sa femme, à l'imitation de la plupart des prétendants et on s'attendrait à ce que Malli eût prononcé : oui,

1. En français dans le texte.

de la même manière que toutes les autres jeunes filles.

Mais Arndt posa la question, et Malli y répondit, comme s'il se fût agi de leur salut éternel. Ils se tenaient étroitement embrassés, emportés par la même vague qui les élevait au-dessus d'eux-mêmes; mais ils n'échangèrent pas un baiser. Un baiser ne convenait pas à cette minute de l'éternité.

Un peu plus tard, ils étaient assis ensemble sur le canapé, près de la fenêtre, et Malli demanda gravement, presque à voix basse :

– Es-tu heureux?

Il lui répondit, tout aussi bas :

– Oui, je suis heureux; mais tu n'es pas le bonheur, Malli, tu es la vie! J'ai douté qu'on puisse trouver la vie en ce monde. Les gens disent communément : « C'est une affaire de vie ou de mort », et je me disais : « Que cette affaire est donc insignifiante! » Je m'imaginais que je connaissais toutes choses, et que j'étais un présage de malheur. Oh! Malli! Aujourd'hui je suis devenu une énigme pour moi-même, et un messager de joie pour le monde.

Il avait cessé de parler depuis quelques instants quand elle se laissa glisser à ses pieds et lorsqu'il voulut la relever, elle l'en empêcha en posant ses mains jointes sur les genoux de son fiancé :

– Laisse-moi rester là, dit-elle, c'est la place qui me convient le mieux.

Et elle leva vers lui son doux visage, à la fois humble et ravi, en ajoutant lentement : « Je suis la résurrection et la vie. Celui qui croit en moi vivra quand même il serait mort. Celui qui vit et croit en moi ne mourra jamais, mais il a la vie éternelle. »

Arndt dut se rendre à Stavanger pour affaires : par suite d'une faillite soudaine, on mettait en vente un navire. Le jeune homme partit de bon matin quelques jours après les fiançailles. La séparation lui coûta beaucoup plus qu'il ne le pensait. Au dernier moment, il dut se forcer à partir. Malli, elle aussi, n'avait pas pris très à cœur cette absence de quelques jours. Elle éprouvait presque le besoin de reprendre haleine. Ce ne fut que lorsqu'elle vit la pâleur d'Arndt au moment où il la quitta qu'elle pâlit à son tour. Arndt n'allait-il pas courir de terribles dangers pendant ce voyage? Il aurait fallu le dissuader de l'entreprendre, ou bien Malli aurait dû l'accompagner pour écarter le mauvais sort.

Debout sur le seuil de la porte, elle regardait la carriole s'éloigner, toute frissonnante dans cette fraîche matinée du premier printemps, et elle s'enveloppait du châle des Indes que sa mère lui avait donné. « Mon Dieu! pensait-elle, pourvu qu'il n'ait pas le même sort que mon père! Pourvu qu'il revienne! »

XII. FERDINAND

Le lendemain du départ d'Arndt, deux dames de la ville vinrent faire visite à Mme Hosewinckel. Elles étaient en train de boire une tasse de café quand Malli entra dans la pièce en manteau et en chapeau : elle était prête à sortir. Le bonheur faisait resplendir ses traits. Mme Hosewinckel lui demanda où elle allait, et elle répondit qu'elle allait voir Ferdinand. Les deux dames échangèrent un regard, mais sans rien dire.

Mme Hosewinckel se leva, se dirigea vers Malli et lui prit la main en disant :

– Ma chère petite, tu ne pourras plus jamais voir Ferdinand.

– Pourquoi donc ? s'écria Malli, stupéfaite.

– Hélas ! Ferdinand est mort.

– Ferdinand ! s'écria Malli, comme un cri.

– Oui ! Notre bon, notre pauvre Ferdinand ! répondit Mme Hosewinckel.

Et Malli cria encore :

– Ferdinand ! Ferdinand !

Mme Hosewinckel reprit doucement :

– Telle était la volonté de Dieu.

Mais Malli répéta pour la troisième fois, comme se parlant à elle-même : « Ferdinand ! »

Les dames de la ville, consternées d'avoir apporté la triste nouvelle, racontèrent alors ce qui était arrivé à Ferdinand. La nuit de la tempête, il avait été frappé à bord de la *Sophie-Hosewinckel* par un bout de vergue. Le coup avait occasionné de graves lésions internes. Au début, le cas n'avait pas été jugé sérieux, mais Ferdinand était mort la veille.

– En somme, c'est la tempête qui est cause de la mort de ce brave jeune homme, dit l'une des dames.

– La tempête ! s'écria Malli. La tempête ? Non ! Ce n'est pas la tempête. Comment pouvez-vous dire que c'est la tempête ? Je vais chez Ferdinand, et vous verrez que vous vous trompez du tout au tout.

– Malheureusement, il ne subsiste aucun doute, reprit l'interlocutrice de Malli. Ferdinand vivait dans de bien modestes conditions. Que va devenir sa pauvre mère ? Hélas ! Mademoiselle Ross, tout cela n'est que trop vrai.

Malli resta silencieuse pendant un instant et, tout à coup, elle parut exploser :

– En effet, il était sur le pont avec moi; nous sommes restés ensemble pendant la nuit. Le matin, c'est lui qui m'a aidée à changer de vêtements, dans la barque du pêcheur, et vous avez vu vous-mêmes qu'il est descendu à terre avec moi. Non! poursuivit-elle en se tournant vers les autres, non! Ferdinand n'est pas mort!

Puis, après un temps, elle s'exclama :

– Il faut que je le voie à l'instant! Ah! mon Dieu! Pourquoi ne l'ai-je pas fait plus tôt?

Mme Hosewinckel et ses hôtes, interdites devant cette agitation passionnée, n'objectèrent plus rien et laissèrent partir la jeune fille.

Malli arriva chez Ferdinand au moment où l'on mettait le jeune marin en bière; sa mère et ses petits frères et sœurs, et quelques membres de sa famille venus pour consoler les affligés, entouraient le cercueil. L'étroite pièce contenait à peine cette foule, vêtue de noir.

Tout le monde s'écarta pour faire place à Malli. La mère du défunt la salua et, la prenant par la main, la fit avancer pour lui permettre de voir Ferdinand une dernière fois.

Malli avait couru comme une folle depuis la place du marché; elle était arrivée hors d'haleine; mais à présent, elle restait comme pétrifiée. Le jeune visage de Ferdinand, qui reposait sur l'oreiller, semblait dormir paisiblement. Ni les souffrances ni l'agonie n'avaient laissé d'autres traces que celles d'une expérience profonde et solennelle.

Malli n'avait jamais vu de cadavre avant ce jour, et jamais elle n'avait vu Ferdinand si tranquille. Plusieurs personnes, qui étaient déjà sur le point de sortir de la pièce à son arrivée, vinrent la saluer, et elle serra leurs mains d'un air absent, les yeux grands ouverts. La mère de Ferdinand accompagna ses hôtes jusqu'à la porte de la maison, et Malli resta seule avec le mort.

Elle tomba à genoux devant le cercueil :

– Ferdinand, murmura-t-elle doucement. Et elle répéta : « Ferdinand ! Ferdinand ! »

Comme il ne répondait pas, elle étendit la main, et effleura son visage. Le froid de la mort glaça ses doigts; elle le sentit pénétrer jusqu'à son cœur, et retira sa main. Mais un peu après elle touchait de nouveau le visage du jeune homme, et sa main resta posée sur la joue pâle, jusqu'à ce qu'elle fût aussi froide que cette joue elle-même. Alors, Malli se mit à caresser ce visage calme et muet et elle sentit sous ses doigts saillir les pommettes et se creuser les orbites. Insensiblement, ses propres traits prirent l'expression de ceux du mort. Les deux visages se ressemblèrent comme ceux d'un frère et d'une sœur.

La mère de Ferdinand rentra dans la pièce et fit asseoir Malli sur une chaise. Elle lui parla de Ferdinand, qui avait été pour elle un si bon fils. Elle évoqua la courte vie de Ferdinand, s'attardant aux menus événements de son enfance et de sa jeunesse. Ses joues étaient inondées de larmes lorsqu'elle raconta que son fils mettait de côté presque tout son salaire pour l'apporter à sa mère à chacun de ses retours à la maison. Mais, seul, un profond soupir lui échappa lorsqu'elle évoqua la vie difficile qu'elle devrait mener dorénavant avec les enfants qui lui restaient, et elle ajouta : « Ferdinand en aurait eu beaucoup de chagrin. »

Malli l'écoutait, et la plainte résignée de cette femme la bouleversait jusqu'au fond du cœur.

N'était-elle pas comme l'écho de l'angoisse de la propre mère de Malli, lorsqu'elle craignait de manquer de pain pour elle et pour son enfant?

La jeune fille regarda autour d'elle : elle reconnaissait bien le modeste logis. C'est ainsi qu'était la pièce où elle avait grandi elle-même. Le monde familier et pauvre de son enfance s'imposait à elle avec une force douce et étrange, à laquelle il lui était impossible de résister. Il lui semblait qu'une main – était-ce la main glacée de Ferdinand, sur laquelle la sienne venait de se poser? – la prenait à la gorge. Malli chancela, ou plutôt tout ce qui l'entourait parut s'écrouler.

La femme vieillissante remarqua son trouble et changea de sujet. Avec le tact si fréquent chez les pauvres gens, elle se mit à raconter combien Ferdinand était fier d'être l'ami de la jeune demoiselle. Elle en avait plus appris de la bouche de Ferdinand, sur le naufrage, que qui que soit d'autre, et avait suivi Malli du pont à la machinerie, et de la machinerie à la barre. Son fils malade l'avait priée à maintes reprises de lui faire la lecture de l'article des *Dernières Nouvelles de Christianssand* : elle le connaissait par cœur.

Un léger sourire apparut sur son visage ravagé quand elle raconta que, pour faire plaisir à son fils, elle avait dû imiter elle-même la jeune demoiselle, qui avait crié : « Ferdinand! » au milieu des hurlements de la tempête.

A ce mots, Malli se leva, pâle comme une morte. Elle regarda le banc et la table, l'unique pot de fleur sur le rebord de la fenêtre et les vêtements élimés de la femme en face d'elle. Finalement, ses yeux cherchèrent le mort dans son cercueil. Mais, à présent, elle n'osa plus s'approcher de lui. Elle se tordait les mains en le contemplant, et ce geste avait l'air d'une supplication désespérée.

Un instant après, elle tendit la main à la mère de Ferdinand et s'en alla.

De retour à la maison, elle se mit à la recherche de Mme Hosewinckel, et lui dit :

– Hélas ! Ferdinand est mort et les siens sont si pauvres ! Comment sa mère fera-t-elle pour nourrir sa famille ?

Mme Hosewinckel, tout émue de la douleur de Malli, répondit aussitôt :

– Ma chère Malli, nous n'oublierons pas le dévouement de Ferdinand; nous soutiendrons cette pauvre mère.

Malli la considéra d'un air absent, comme si elle n'avait pas compris ce qu'elle venait de dire, et attendit d'autres paroles plus claires. Mme Hosewinckel reprit :

– Ma chère petite, le bonheur de ceux qui ont de la fortune consiste à venir en aide à ceux qui sont dans le besoin.

Lorsque Malli descendit de sa chambre le lendemain matin, elle était si changée qu'elle effraya ses hôtes : elle était redevenue la fille au visage blafard et pétrifié, aux yeux profondément cernés, aux membres paralysés, qu'on avait portée sur le rivage après la tempête. Et elle semblait aussi avoir perdu l'usage de la parole, comme M. Sörensen lui-même après le naufrage. Elle refusait de sortir, tout en paraissant avoir peur de rester à la maison. Elle quittait une chaise pour aller s'asseoir sur une autre.

Mme Hosewinckel offrit de faire venir le médecin de la famille, mais Malli la supplia anxieusement de n'en rien faire et cette idée dut être abandonnée.

La maisonnée, que l'attitude de Malli plongeait dans une grande perplexité, finit par la laisser en paix. Seule, la maîtresse de maison continua à observer avec attention le jeune visage bouleversé.

XIII. Mme HOSEWINCKEL VA À L'ÉGLISE

Pendant qu'Arndt était à la maison, il n'avait guère été possible à Mme Hosewinckel de bien connaître Malli. L'amour de son fils projetait une trop vive lumière sur la jeune fille, et la raisonnable mère avait presque compté sur l'absence d'Arndt pour lui permettre d'exercer sa perspicacité. Maintenant, le visible changement du visage et des manières de Malli effrayait Mme Hosewinckel qui ne savait plus qu'en penser.

Durant quelques jours, son fils lui resta encore assez présent pour qu'elle continuât à voir Malli par les yeux d'Arndt : la jeune fille lui paraissait alors un bien précieux, et elle essaya de la consoler et de la réconforter de son mieux. Mais elle se reprochait plus sérieusement encore que le soir du bal, d'avoir étourdiment permis que Malli fût l'objet de la curiosité et des hommages de tant de gens. Cette très jeune fille avait vu la mort en face, et, sitôt après, elle s'était trouvée dans un milieu opulent et nouveau, où selon toute probabilité le cours de sa vie avait changé de direction.

L'expérience de Mme Hosewinckel lui avait appris qu'il faut de la force de caractère pour supporter les faveurs du sort, quelque douces qu'elles soient, et elle résolut de mettre un terme aux réceptions, aux réunions de toutes sortes, afin que Malli, sous la protection du foyer, ne connût plus aucune agitation.

Mme Hosewinckel fit part de son idée à Malli. Celle-ci, pour la première fois depuis la mort de Ferdinand, eut l'air de vraiment comprendre ce qu'on lui disait :

– Oh ! oui, murmura-t-elle, ne plus être observée ! Ne plus voir personne d'autre que vous et moi ! Etre invisible pour tout autre œil ! Quelle perspective délicieuse !

Mais, aussitôt après, reprise par sa peine elle errait de nouveau, pâle et sans but, dans la vaste demeure.

La mère d'Ardnt connaissait trop peu Malli pour deviner la vraie cause de son désespoir. Elle remarqua que rien ne bouleversait davantage la jeune fille que d'entendre prononcer le nom de son fiancé. A chaque fois, elle semblait frappée au cœur.

Mme Hosewinckel fut saisie d'une peur affreuse : serait-il possible que cette enfant eût l'esprit dérangé ?

En réalité, personne n'avait connu son père, et qui sait quels fantômes des jours oubliés on avait admis dans la maison en même temps que la jeune héroïne ? Pourtant, jusqu'alors aucun signe de désordre mental n'avait été constaté chez Malli, et Mme Hosewinckel bannit ses craintes.

Non ! Il y avait autre chose qui pesait sur l'esprit de cette petite, mais quelle autre chose ?

Le désespoir de Malli avait été provoqué par la nouvelle de la mort de Ferdinand.

Que s'était-il passé entre elle et le jeune marin ?

En y réfléchissant, Mme Hosewinckel se souvint qu'à l'époque où ses propres fiançailles avec

Jochum Hosewinckel étaient encore secrètes, un autre prétendant avait demandé sa main, et qu'elle en avait été très malheureuse.

Peut-être Malli, dans le tumulte de la tempête, avait-elle accordé une promesse à Ferdinand, et se désolait-elle de s'être dégagée à temps?

Mme Hosewinckel se persuada peu à peu de la probabilité de sa supposition, bien que parfois elle restât stupéfaite devant l'audace de ses propres idées. Elle se demandait si Malli ne voyait pas, dans son imagination, le mort sortant de sa tombe pour lui rappeler sa promesse. Les jeunes filles ont des pensées singulières, et sont fort capables d'en mourir. Mais une douleur secrète ne peut s'apaiser que si on l'expose à la pleine lumière du jour. Il fallait obliger Malli à parler.

Mme Hosewinckel commença par questionner discrètement la jeune fille sur son enfance, et sur le temps qu'elle avait passé avec la troupe de M. Sörensen. Malli lui répondit sans détours : il n'y avait pas de secrets dans son passé.

Puis, Mme Hosewinckel prononça le nom de Ferdinand, et se persuada très vite que le jeune marin n'avait jamais causé d'autre peine à Malli que celle de sa mort.

Pour un peu, la plus âgée des deux femmes aurait perdu patience devant ce refus, que la plus jeune opposait à toute aide dans sa souffrance.

Puis elle se rappela que, dans ce monde, il existe des puissances supérieures à la volonté humaine, et elle décida de se tourner vers elles pour sauver Malli.

Il a été dit plus haut que la mère d'Arndt n'était pas habituée à importuner le ciel par des prières la concernant elle-même, et ce fut peut-être la première fois qu'elle implorait une grâce personnelle; mais elle le fit pour l'amour de son fils unique, et parce qu'étant allée aussi loin sur ce chemin-là, elle ne devait plus reculer. Elle ne pouvait pas non plus charger quelqu'un d'autre d'accomplir sa tâche.

Son mari était aussi pieux qu'elle, et pendant plus de quarante ans, ils avaient fait ensemble la prière du soir. Mais de même que Mme Hosewinckel, tout en espérant se tromper, ne parvenait pas à croire pleinement que les hommes puissent avoir accès à la vie éternelle, elle ne se figurait pas non plus un homme exposant à Dieu seul ses préoccupations.

Le dimanche suivant, elle se rendit à l'église après avoir bien réfléchi à la requête qu'elle allait présenter.

Elle ne demanda pas la force ni la patience, sachant que ces qualités ne dépendaient que d'elle-même. Mais elle pria le Seigneur de l'inspirer pour y voir clair dans la situation de Malli et pour venir en aide à la malheureuse jeune fille. Mme Hosewinckel n'ignorait pas que, livrée à ses seules forces, elle manquait d'inspiration.

Elle revint chez elle, le cœur plein d'espoir.

Or, dans sa reconnaissance pour le sauvetage de la *Sophie-Hosewinckel,* elle avait éprouvé le désir d'offrir à l'église une nouvelle nappe d'autel; et elle décida de découper une toile fine en carrés, brodés séparément, pour être assemblés ensuite. Elle travaillait elle-même à l'un de ces carrés, et demanda à Malli de se charger d'un autre. La mère de Malli lui avait enseigné les travaux à l'aiguille, et cette occupation, qui lui rappelait d'anciens jours, fut la seule qui parût lui convenir. Elle ne levait pour ainsi dire plus les yeux de son ouvrage.

Le dimanche soir, la maîtresse de maison et la

jeune invitée de la maison s'assirent ensemble au salon pour broder. Dans la vaste pièce mi-obscure, la toile blanche prenait un doux éclat à la lumière de la lampe à pétrole.

Un peu plus tard, le maître lui-même vint s'asseoir auprès des deux femmes.

XIV. VIEILLES GENS ET VIEILLES HISTOIRES

La vie de Jochum Hosewinckel avait été assombrie pendant les dernières années par une épreuve qu'il avait peine à supporter, parce que ce signe du destin impliquait pour lui une sorte de faute, voire de honte. Il n'en avait jamais parlé à qui que ce soit. Pourtant l'épreuve ne concernait pas seulement sa personne : elle est commune à toute la race humaine, à tous ceux qui vivent assez longtemps pour la connaître.

Jochum Hosewinckel commençait à sentir le poids de la vieillesse. Les membres de sa famille vivaient longtemps. Il avait vu son père et son grand-père vieillir à la façon de tout le monde : ils entendaient de moins en moins bien, et finissaient par être complètement sourds. Leurs dos s'ankylosaient, et leur manière de penser se pétrifiait quelque peu, mais ils restaient sur cette terre, témoins honorables et honorés d'une longue suite d'années et d'expériences.

En ce qui le concernait, Jochum Hosewinckel avait l'impression que la vieillesse se manifestait tout autrement, et en son for intérieur, il le reprochait à sa grand-mère, qui venait de l'extrême nord de la Norvège. Il ne s'ankylosait ni ne se pétrifiait, mais le monde entier et lui, avec le monde, perdaient en quelque sorte leur poids, et allaient se dissolvant. Les choses et les idées changeaient de couleur comme la peinture d'un bateau qui a connu vents et marées. La couleur des planches est parfois plus jolie qu'auparavant, le jeu des nuances plus doux, et pourtant les choses ne sont pas telles qu'elles devraient être, et il faudrait repeindre son bateau de frais.

Jochum Hosewinckel avait peine à tenir ses livres de comptes : il ne voyait plus si ce qui lui arrivait était avantageux ou désavantageux, s'il avait lieu de se réjouir ou non; et si dans les registres de sa conscience il fallait les inscrire dans la colonne des crédits ou dans celle des débits. Il ne distinguait plus très bien entre le présent et le passé, oubliant facilement les événements récents pour revivre ceux d'autrefois, alors qu'il était enfant ou jeune garçon, et que les cargaisons et les taux des changes ne signifiaient rien pour lui.

Mais il redoutait que son entourage pût s'apercevoir de cette décrépitude, et il restait sans cesse en alerte durant ses conversations avec ses capitaines et ses employés.

Son inquiétude était moins vive en face de sa femme, qui, une fois pour toutes, l'avait accepté tel qu'il était; mais il lui arrivait d'éviter la société de son fils.

A part lui, il se serait trouvé plutôt satisfait, voire joyeux, d'une existence sans livres de comptes. Mais, pour un vieillard issu d'une ancienne famille, dont tout l'effort avait consisté à vérifier son actif, à équilibrer le doit et l'avoir, et à prendre des responsabilités, la chose était déconcertante, et Jochum Hosewinckel se citait lui-même en jugement.

Il en était venu au point d'éprouver un vrai

soulagement quand le naufrage de la *Sophie-Hosewinckel*, en suspendant en quelque sorte le cours normal des jours, avait interrompu le cycle de la vie quotidienne. On pouvait distinguer à nouveau entre la chance et la malchance.

Ensuite Malli arriva dans la maison. Comment s'attendre à ce que cette très jeune fille eût une idée précise du monde. Néanmoins, à l'encontre des gens compétents, elle avait foncé droit vers un but précis, et avait sauvé un des bons bateaux de Jochum Hosewinckel. Il fallait la choyer cette enfant, et rire avec elle. Une heureuse intimité, et une grande confiance s'établirent entre le vieil hôte et la jeune invitée. Tous deux vivaient presque à l'écart du reste de la maison.

Malli accompagnait Jochum dans ses promenades matinales au port et aux entrepôts. Elle prenait la peine de retrouver dans sa mémoire des chansons du temps jadis, et les chantait au vieillard.

Un jour qu'il lui avait apporté un oiseau en cage, elle l'embrassa sur les deux joues. Maintenant qu'elle était malade, et plongée dans une profonde mélancolie, qu'elle vivait à l'écart des autres personnes, la sympathie entre elle et Jochum Hosewinckel ne fit que s'accroître, et elle se manifesta d'une façon particulière.

Malli supportait mal d'entendre parler des préoccupations actuelles ou des faits récents; mais elle aimait les histoires d'autrefois et jusqu'aux simples contes de nourrice.

Son vieil allié et protecteur, au bon visage osseux, paré de favoris blancs, était enchanté de lui narrer ses aventures d'enfant et les histoires qui, plus de soixante ans auparavant, lui avaient été racontées à lui-même soit par les vieux domestiques de la maison, soit par les vieux capitaines de vaisseaux, soit par des pêcheurs, et enfin par la mère de sa mère.

On prit, en quelque sorte, l'habitude, dans la maison Hosewinckel, de se réunir le soir. Les dames prenaient leur broderie, et l'armateur quittait ses bureaux pour venir s'asseoir dans le fauteuil du grand-père, et conter des histoires aux deux brodeuses.

En ces heures-là, il n'était pas inquiet de céder aux fantaisies de son imagination devant sa femme. Il arrivait à se figurer qu'il courait, la main dans la main de Malli, à travers un paysage crépusculaire, qui était leur domaine. Mais ce domaine n'était pas désert : on y assistait aux aurores boréales des nuits polaires, et il était peuplé d'êtres vivants.

De gros ours barbus se dandinaient sur leurs lourdes pattes; des bandes de loups tournoyaient dans la tempête, et parcouraient la vaste plaine. De vieux Finnois, un peu sorciers, ricanaient en vendant aux marins des vents favorables; et Jochum Hosewinckel souriait dans son fauteuil comme s'il eût trouvé un refuge, où la mauvaise conscience n'était pas autorisée à pénétrer.

En cette soirée de dimanche, qui suivit la visite de sa femme à l'église, il entra au salon pour raconter une histoire à Malli, et commença presque aussitôt.

« Ce soir, Malli, dit-il, je te parlerai d'un grand danger qui jadis a menacé la maison dans laquelle tu te trouves aujourd'hui. Dieu l'a préservée de courir une fois encore un pareil danger. Je te parlerai aussi du grand-père de ma grand-mère. On m'a raconté cette histoire quand j'étais petit. »

XV. HISTOIRE DE JENS AABEL ET D'UN SAGE CONSEIL

La lumière de la lampe n'éclairait pas les traits de Jochum Hosewinckel, mais tombait sur ses grandes mains jointes quand il commença son récit.

– Le vieux Jens Guttormsen Aabel, dit-il, était arrivé à Christianssand, venant de Saerterdalen, dont les habitants étaient encore à moitié païens, à cette époque-là. Mais lui était un bon chrétien. Il possédait une large aisance, et toute la ville le respectait. Il prenait déjà de l'âge quand au mois de février 1717, le grand incendie éclata à Christianssand. Ce fut un terrible désastre. En l'espace de six heures, le feu réduisit en cendres trente maisons. On apercevait les flammes depuis Lillesand et du pont des bateaux amarrés au large de Mandal. Cette nuit-là, le vent soufflait du nord-ouest, de sorte que l'incendie, qui avait débuté dans Lillegade (la petite rue), s'étendait droit en direction de la maison et des entrepôts de mon trisaïeul, situés dans la Vestergade (rue de l'ouest). Il semblait déjà que ces bâtiments fussent voués à la destruction, aussi les domestiques et les employés de Jens Guttormsen s'apprêtaient-ils à sortir les coffres-forts et les casiers.

« Une foule assez nombreuse s'était massée à l'autre extrémité de la rue. Quelques personnes pleuraient à la pensée du vieillard qui allait perdre tous les biens amassés au cours de sa vie.

« On raconta plus tard que l'incendie s'approchait au point qu'en plein hiver il faisait chaud comme dans un four.

« Alors, ma petite, poursuivit le vieil armateur, Jens Aabel sortit de chez lui ses balances dans une main et sa toise dans l'autre. Il s'arrêta au milieu de la rue, et dit à haute voix, de manière à être entendu de tout le monde : « Me
« voilà, Jens Guttormsen Aabel, marchand dans
« cette ville, avec mes balances et ma toise. Si
« durant ma vie j'ai fait tort à qui que ce soit,
« accourez vents et flammes pour assaillir ma
« maison ! Mais si j'ai usé avec droiture de ces
« instruments de précision, épargnez mes biens,
« impétueux serviteurs de Dieu !, de sorte qu'ils
« puissent encore être au service des hommes et
« des femmes de Christianssand, dans les
« années à venir, comme dans celles qui sont
« passées ! »

« Au même moment, dit Jochum Hosewinckel, tous ceux qui étaient réunis dans la rue virent que le vent semblait hésiter. Il s'arrêta de souffler, de sorte que la fumée et les étincelles s'abattirent sur la foule. Mais, aussitôt après, il tourna, et souffla cette fois en plein du nord. Alors le feu changea de direction : de Vestergade il gagna la place du marché. La maison de Jens Aabel était donc hors de danger, et l'on put y rapporter tous les objets qu'on en avait sortis. »

La grosse horloge du salon sonna huit heures, et le vieux narrateur, ainsi que la jeune fille qui l'écoutait, demeurèrent silencieux, tout absorbés encore par cette histoire du passé, comme s'ils s'étaient trouvés au milieu de la foule qui se pressait dans la Vestergade en cette nuit d'hiver. Jochum Hosewinckel cependant, incapable de se replacer immédiatement dans l'atmosphère de la vie courante, reprit la parole peu après.

– Tu as remarqué, n'est-il pas vrai, Malli, la grosse Bible posée sur la table de mon bureau.

C'est la Bible de Jens Aabel, que ma famille a héritée de la mère de ma mère. Cette Bible possède une qualité particulière. Lorsqu'un de nous, hésitant sur ce qu'il doit faire, consulte l'Ecriture sainte, le livre s'ouvre de lui-même à la page qui répondra à sa requête.

Mme Hosewinckel jeta un regard à Malli par-dessus la table, et elle eut brusquement l'impression que sa prière avait été exaucée. Cependant elle resta silencieuse, se contentant de suivre attentivement la conversation. Son mari disait :

– Sais-tu bien, Malli, que moi-même j'ai demandé conseil à cette Bible ? Mais cherche-moi une chandelle et viens m'apporter le livre pour que je puisse retrouver le texte. La Bible est lourde : il faut la tenir à deux bras et laisser la chandelle sur la table jusqu'à ce que tu aies remis l'Ecriture sainte à sa place.

Malli s'en alla avec la chandelle et revint portant le livre dans ses deux bras; elle le déposa sur la table devant le vieillard qui l'attendait. Il mit ses lunettes, puis, après avoir un peu hésité, il se réinstalla dans son fauteuil et commença son récit.

– Il y a bien des années, mon cousin Jonas vint me voir pour me proposer de contribuer pour moitié à l'achat d'un navire. J'hésitais à refuser par affection pour ma bonne tante, la mère de Jonas; mais j'avais encore moins envie de dire : oui, en pensant à Jonas lui-même, car c'était un homme auquel on ne pouvait se fier, et il m'avait déjà trompé autrefois. Ce jour-là, il était assis sur le canapé, attendant ma réponse avec impatience. Moi, j'allais et venais dans la pièce, dans une pénible incertitude quand, tout à coup, la Bible attira mon regard, et je dis, en

mon for intérieur : « Pourquoi ne me donnerais-
« tu pas un conseil, Jens Aabel? »

« Aussitôt, j'allai ouvrir le livre, comme si je cherchais quelque chose parmi les papiers épars sur la table.

« Cette fois, la Bible s'ouvrit au chapitre 29 du livre de l'Ecclésiastique. Je vais te lire ce que j'ai lu moi-même ce soir-là, il y a plus de trente ans. »

Jochum Hosewinckel ajusta ses lunettes, et humecta ses doigts pour tourner les pages, puis il lut lentement le texte :

Beaucoup traitent un prêt comme une
[aubaine
Et mettent dans la gêne ceux qui les ont
[aidés.

– Je pensais : « Voilà qui convient parfaite-
« ment au cousin Jonas, qui est assis derrière
« moi. » Mais je continuai ma lecture :

Au jour de l'échéance, on tire en longueur
On s'acquitte en récriminations
On s'en prend aux circonstances.

« Je me dis encore : « C'est exactement ce
« qu'il me faut. »

« J'étais sur le point de fermer la Bible et de me retourner vers Jonas, quand le dernier verset s'imposa comme de lui-même à mon attention :

Pourtant, sois indulgent pour les malheureux,
Ne leur fais pas attendre tes aumônes
Sacrifie ton argent pour un frère et un ami,
Cela te sera plus utile que l'or.
(*Ecclésiastique*, XXIX.)

« Je restai un moment comme frappé de la foudre, puis je murmurai à part moi : « C'est « bien là le conseil que tu me donnes, Jens « Aabel? »

« Et maintenant, ma petite, je finirai mon histoire, en te racontant que le bon bateau, que nous avions acheté ensemble, Jonas et moi, a rencontré, à son premier voyage, un banc de harengs d'une importance exceptionnelle, et le profit que je tirai de cette pêche dépassa infiniment mes débours.

« Mais, à son second voyage, conclut le vieillard après un court silence tandis que l'expression de ses traits changeait, ou plutôt qu'il prenait le vrai visage du conteur, au second voyage du bateau, il advint au cousin Jonas de passer par-dessus bord, au large de Bodö, après une joyeuse soirée à terre, et de cette manière de nouveaux soucis à son sujet furent épargnés à sa mère. »

Le vieillard resta plongé dans ses souvenirs pendant un moment, puis il reprit :

– Remets ce livre à sa place, Malli, car Arndt, lui aussi, pourrait une fois ou l'autre avoir besoin de recourir à ses conseils, si quelqu'un avait envie de lui jouer un tour.

Mme Hosewinckel leva la tête pour suivre du regard la jeune silhouette quand elle franchit la porte... Quelques minutes plus tard, le mari et la femme entendirent le bruit d'une chute dans la pièce voisine. Ils s'y précipitèrent pour trouver la jeune fille étendue comme une morte sur le parquet, devant la table où la Bible était ouverte.

Mme Hosewinckel ne devait jamais oublier qu'à l'instant même elle crut entendre la voix de son fils qui disait :

– Est-ce cela que tu désirais?

Les deux époux soulevèrent Malli, et la couchèrent sur le canapé recouvert de crin; elle ouvrit les yeux, mais ne semblait rien voir. Un peu plus tard, elle leva la main et caressa le visage du vieillard en murmurant :

– J'ai eu un vertige, Arndt!

Mme Hosewinckel sonna les servantes et, avec leur aide, porta Malli dans son lit situé à l'étage supérieur.

Quand elle redescendit au salon, son mari était resté debout à la place même où elle l'avait laissé; il regardait la page de la Bible.

A l'arrivée de sa femme, il leva les yeux et ferma le livre. Elle fit un geste pour l'arrêter, mais il n'y prit pas garde, et ajusta le lourd fermoir.

XVI. LE MAÎTRE ET L'ÉLÈVE

Le lendemain, Malli se leva de très bonne heure, s'habilla sans faire de bruit, descendit l'escalier de service et sortit de la maison par la porte de derrière.

La veille encore, elle aurait été forcée de s'orienter pour trouver le chemin de l'hôtel de M. Sörensen, mais aujourd'hui elle se dirigea tout droit vers lui, comme un pigeon qui revient au nid. Elle avait attendu l'aube pendant de longues heures, et pendant qu'elle courait vers son but, elle vit le jour colorer lentement la ville. Des bouffées de senteurs lui parvenaient par instants; une brise légère caressait son visage et elle pensait : « Tout a changé depuis mon arrivée ici; c'est à cause de la venue du printemps, plus tard viendra l'été. »

Et, tout à coup, elle se rappela presque mot pour mot ce que lui avait dit Arndt au sujet d'un voyage qu'ils feraient, elle et lui, sur un des navires de son père : « Cet été, vers le nord, où le soleil ne se couche jamais. »

Tandis que ses pensées vagabondaient ainsi, elle était arrivée à la porte de l'hôtel. Elle escalada l'étroit escalier qui menait à la chambre de M. Sörensen et, sans frapper, comme si elle savait qu'elle était attendue, elle ouvrit la porte. Selon son habitude, M. Sörensen était debout avant les autres gens, et déjà en train de faire sa minutieuse toilette du matin. En voyant entrer Malli, il se retira derrière un paravent et, de là, il lui indiqua une chaise près de la fenêtre. Cependant, elle n'obéit pas tout de suite, mais s'arrêta à considérer la pièce où elle se trouvait.

Un tableau, pendu au mur, représentait le couronnement de Charles-Jean Bernadotte. Le vieux sac de voyage de M. Sörensen était posé par terre, près de l'armoire. Après cette rapide inspection, Malli ôta lentement son chapeau et son manteau, comme pour montrer qu'elle s'installait ici; puis elle se laissa tomber sur la chaise désignée par M. Sörensen. La tête du vieux maître apparut trois fois au-dessus du paravent pour regarder Malli et, à chaque coup, son aspect différait, sous les effets successifs du rasoir et de la mousse de savon. Mais il ne dit pas un mot.

Il finit par sortir de son petit réduit, rasé de frais, portant perruque, et vêtu d'une robe de chambre, dont le ouatage s'échappait par endroits. Malli se leva pour se précipiter dans ses bras. Elle était incapable de parler, tant elle tremblait. M. Sörensen n'essaya pas de la calmer; il ne l'entoura même pas de ses bras, mais la laissa se cramponner à lui comme une personne qui se noie se raccroche à une planche.

Pendant la conversation qui suivit, tantôt elle s'écartait de son interlocuteur pour observer son visage, tantôt elle se serrait contre sa poitrine. Elle paraissait alors chercher un obscur refuge, où elle ne verrait plus rien. Ses premières paroles furent un cri :

– Ferdinand est mort !

– Oui, fit doucement M. Sörensen. Oui ! Il est mort !

Elle s'écria du même ton :

– Le saviez-vous ? L'aviez-vous appris ? Avez-vous cru que c'était vrai ?

Il lui répondit d'un ton grave et triste :

– Je l'ai cru, en effet.

Malli se ressaisit un peu, recula d'un pas et, ayant retrouvé le contrôle de sa voix, elle dit avec force :

– Arndt Hosewinckel m'aime !

M. Sörensen remarqua le changement de ses traits, et une question monta à ses lèvres :

– Mais, toi, l'aimes-tu ?

Cette question lui rappela aussitôt ce vers d'une tragédie bien-aimée et il le répéta, mais, cette fois, dans les termes mêmes :

Et toi l'aimes-tu, pure jeune fille ?

Le mot final de la tragédie restait gravé également dans le cœur de Malli, et elle termina la strophe avec une sorte d'emphase :

Puissent l'entendre le soleil, la lune, la cohorte
[des étoiles.
Les anges, Dieu lui-même et les hommes !
Je serai fidèle à mon amour pour lui.

– Et alors? dit M. Sörensen.

Comme elle restait silencieuse, il répéta un peu après :

– Et alors? Que vas-tu faire, Malli?

Elle répondit par une exclamation de détresse :

– Ce que je vais faire? Il faut que je m'en aille! Mon Dieu! Il faut que je m'en aille avant de faire leur malheur à tous.

Elle se tordait les mains en parlant.

– Je ne veux pas rendre les autres malheureux; je ne veux pas! Je ne veux pas! Dieu m'est témoin que je ne savais pas que je faisais leur malheur. Monsieur Sörensen, je croyais n'avoir dit aucun mensonge, je n'avais fais aucune erreur. Mais maintenant, je dois partir; je ne peux pas rester ici dorénavant.

Elle paraissait vouloir lui annoncer avec véhémence une décision prise à l'instant.

– Je ne peux pas, vous comprenez bien que je ne peux pas rentrer dans cette maison sur la place, sans être certaine que je la quitterai bientôt, aussitôt que ce sera possible; car quelqu'un m'a montré la porte, monsieur Sörensen; un homme juste, qui n'a jamais fait un mauvais usage de ses balances ou de ses toises, m'a montré la porte hier soir.

« Celui qui est juste et honnête est capable d'arrêter un ouragan et de le faire changer de direction, mais moi..., gémit-elle. Notre tempête du Kvaasefjord est venue droit vers moi; pourtant, je n'ai jamais prié Dieu de l'envoyer. Je jure que je ne l'ai pas fait. La sœur de ma grand-mère, dit tout à coup Malli, comme si elle cherchait à orienter sa pensée vers un autre sujet, mais se heurtait toujours à la triste réalité du sujet précédent; la sœur de ma vieille grand-mère en avait tant voulu à ma mère d'avoir épousé mon père, qu'elle ne mit plus les pieds dans notre maison. Mais un jour, elle me croisa dans la rue et m'emmena chez elle pour me parler de mon père. Elle me dit :

« – Ton père, Malli, n'était pas Ecossais; ce n'était pas non plus un marin comme les autres. Il était l'un de ceux dont bien des gens ont entendu parler, et auxquels ils ont donné un nom. Il était *The flying Dutchman*. Il était le capitaine ou un membre de l'équipage du *Vaisseau fantôme*.

« Croyez-vous que ce soit vrai, monsieur Sörensen? »

Après avoir réfléchi pendant quelques secondes, M. Sörensen répondit :

– Non, je ne le crois pas!

Malli parut trouver quelque consolation dans cette réponse; puis une nouvelle vague de désespoir la submergea :

– Et pourtant, s'écria-t-elle, je les trompe tous, comme mon père a trompé ma mère!

M. Sörensen réfléchit une fois de plus, puis il dit :

– Qui as-tu trompé, Malli?

La réponse vint, impétueuse et désespérée :

– Ferdinand! Arndt!

Et avec plus de calme, Malli ajouta :

– Quand je serai bien loin, j'aurai le courage d'écrire la vérité à Arndt. Je n'ose pas la lui dire en face.

Et, comme si elle se représentait le visage d'Arndt, elle se tut en se tordant de nouveau les mains, et cria :

– Je dois partir! Si je ne pars pas, je ferai son malheur. Il connaîtra à cause de moi le malheur et la détresse, monsieur Sörensen!

Malli recula d'un pas et regarda le directeur bien en face :

– Il faut me croire, monsieur Sörensen, disaient à la fois sa voix et son clair regard. Je parle comme quelqu'un qui est inspiré par les puissances invisibles.

Il y eut un long silence.

Ce fut M. Sörensen qui reprit la parole :

– Je te comprends parfaitement, Malli; car, sache-le, petite Malli, j'ai été marié moi-même.

– Marié? Vous?

– Oui! Au Danemark, avec une brave femme digne d'être aimée.

– Où est-elle à présent?

Malli promenait dans toute l'étroite pièce un regard déconcerté, on aurait pu croire qu'elle y cherchait la pauvre Mme Sörensen perdue.

– Dieu soit loué! dit M. Sörensen; elle s'est remariée. Elle a un bon mari au Danemark et trois enfants. Nous n'avons pas eu d'enfants ensemble. Je l'ai quittée sans la prévenir. Le dernier soir, nous étions encore assis l'un près de l'autre dans notre petite maison. Nous avions une jolie maison, Malli, avec des rideaux et un tapis... Elle m'avait dit : « Tout ce que tu fais, « Waldemar, tu le fais pour me rendre heu-« reuse... tu es si bon pour moi... »

– Oh! Que c'est vrai! s'écria la jeune fille, comme si elle avait été frappée au cœur. C'est bien ainsi qu'ils parlent de nous; c'est ainsi qu'ils se figurent que nous sommes.

Pour la troisième fois, M. Sörensen resta plongé dans ses pensées. Enfin, il prit la main de Malli, mais ne prononça que ces seuls mots :

– Ma petite fille!

avant de tomber dans le silence.

Quand il sortit de sa longue méditation, il fit

asseoir Malli à côté de lui sur un petit canapé recouvert d'un tissu déchiré en disant :

– Il faut que nous ayons un sérieux entretien.

Mais ils restèrent longtemps sans ouvrir la bouche. Cependant, Malli, dans son besoin de sympathie, laissait errer sa main sur l'épaule, le cou, la tête de M. Sörensen. Ce geste implorant avait-il pour but d'apaiser un juge, ou de réconforter un autre être, menacé de la même condamnation qui la frappait elle-même ? Ses doigts dérangèrent les boucles de la perruque, mais elle ne regardait pas son vieux maître, et M. Sörensen, pour empêcher les doigts suppliants de s'enfoncer dans ses yeux ou sa bouche, inclinait doucement la tête d'un côté, puis de l'autre. Le directeur, qui avait l'habitude d'être obéi et admiré, mais non pas d'être caressé, laissa la situation se prolonger pendant quelques minutes et ne bougea pas de sa place, même quand les mains de Malli cessèrent leur jeu.

Au début, il avait pensé que le groupe qu'il formait avec son élève rappelait celui du vieux roi malheureux et de sa fille dévouée. Mais, à présent, le centre de gravité avait changé de place, et M. Sörensen reprenait entièrement conscience de son autorité et de sa responsabilité : ce n'était pas lui le fugitif; c'était sa jeune élève qui s'était enfuie pour venir lui demander aide et protection. Une fois encore, il reprenait son pouvoir sur les autres. Il était Prospero.

Et, le manteau de Prospero sur ses épaules, il se sentait envahi par un heureux sentiment de plénitude, sans que la pitié qu'il éprouvait pour la jeune désespérée, assise à ses côtés, en diminuât pour autant. Il n'allait pas être forcé de renoncer à ce bien précieux qu'était Malli. Elle restait sienne; elle ne le quitterait pas, et il verrait la réalisation de son grand projet. Alors, il parla :

– A présent, je me lève. Ecoute! Reste assise, et entends la fin de nos peines marines.

Puis il se leva, et alla d'un pas ferme jusqu'à une petite table branlante, placée dans l'embrasure de l'autre fenêtre, et qui lui servait de bureau. Il tira des papiers d'un tiroir, et se plongea dans l'examen de leur contenu, triant des notes, en remettant quelques-uns à leur place, en sortant d'autres du tiroir. Cette occupation l'absorba pendant longtemps, et quand Malli lui fit un petit signe de la main sans le regarder, il finit par mettre de côté ses paperasses et son crayon, mais resta assis, tournant le dos à la jeune fille, et dit :

– Je renonce à donner des représentations à Christianssand.

Malli ne répondit pas. Et M. Sörensen continua d'une voix ferme :

– Il faudra que je fasse savoir en ville que j'annule les représentations, et que je pars pour Bergen. Bien sûr, fit-il, comme si Malli avait fait une objection, cela nous coûtera cher; nous aurions pu avoir ici un énorme, un unique succès. Toi, ma pauvre petite, tu y perdras; mais la perte ne sera pas aussi importante que je le craignais. La collecte des habitants de Christianssand compensera cette perte en grande partie. Et, dans la vie, ma petite, il faut savoir ouvrir un compte de profits et pertes. Nous partirons d'ici les premiers, toi et moi; les autres suivront plus tard, d'après mes instructions.

Il entendit Malli se lever, faire un pas vers lui, puis s'arrêter.

– Quand avez-vous l'intention de partir? dit une voix tremblante derrière son dos.

M. Sörensen répondit :

– Je suis à peu près sûr d'avoir un bateau mercredi.

Et il répéta brièvement, avec l'autorité d'un amiral à son bord :

– Ce sera : mercredi.

– Mercredi ? murmura Malli, comme un triste écho.

– Oui, mercredi.

– Après-demain ?

– Après-demain.

En donnant ses ordres, M. Sörensen sentait sa personne prendre de l'ampleur, mais il restait cependant sensible à ce profond silence de Malli, et de tout temps il avait mal supporté le silence. Comme s'il avait été gratifié de deux yeux derrière la tête, il voyait Malli debout au milieu de la petite chambre, telle qu'elle était après le naufrage, pâle comme une morte d'avoir passé par trop d'épreuves. Le conflit entre sa pitié et la satisfaction d'exercer son pouvoir le troubla pendant quelques instants, et il bougea un peu sur sa chaise. Finalement, il se retourna, appuya ses bras contre le dossier, et, le menton sur ses bras, il fut prêt à faire face à toute la détresse du monde.

Malli, qui avait été réellement clouée au sol, se dirigea alors vers lui tardivement mais avec une force irrésistible, telle la vague qui roule vers la côte; elle dit, de plus en plus lentement à chaque phrase, et d'une voix basse et claire, comme le son d'une cloche :

Souviens-toi que je t'ai servi diligemment
Sans mensonges ni bévues, sans récriminations
[ni murmures.

M. Sörensen restait immobile et silencieux; il

pensait : « Grand Dieu ! que les yeux de cette jeune fille sont lumineux ! Elle ne me regarde pas; elle ne me voit même pas, mais ses yeux brillent. »

Il y eut une courte pause, puis elle reprit :

Salut ! Grand Maître ! Puissant Seigneur, [salut !
Je viens répondre à ton bon plaisir.
Devrais-je voler, plonger dans le feu,
Chevaucher les nuages bouclés ?
Par tes ordres impérieux
Dispose d'Ariel et de ses dons !

Une autre pause, et une autre reprise :

Les éléments dont vos épées sont faites
Blesseraient les vents sonores
Vos coups grotesques tueraient les eaux
Qui toujours se referment,
Plutôt que de soustraire
Un brin de duvet à mon plumage.

M. Sörensen ne fut nullement surpris d'entendre Malli sauter d'un passage du texte à l'autre. La pièce lui était tout aussi familière qu'à Malli, et il n'éprouvait aucune difficulté à la suivre. A présent, elle le regardait bien en face; ses regards et sa voix avaient repris leur fermeté, et quand elle se remit à parler, ce fut avec une telle douceur, une telle simplicité, que M. Sörensen sentit fondre son cœur dans sa poitrine, tandis que des larmes montaient à ses yeux :

Par cinq brasses sous les eaux
Ton père, étendu, sommeille.
De ses os naît le corail,
De ses yeux naissent les perles,

Rien, chez lui, de périssable
Que le flot ne change,
Et les nymphes océanes
Sonnent son glas d'heure en heure :
Entendez-vous ding dong dong!

Un long et dernier silence succéda à cette strophe; mais M. Sörensen ne pouvait accepter d'être mis hors de jeu de cette manière-là. Il releva la tête, tendit le bras droit vers Malli par-dessus le dossier de sa chaise, et se mit à réciter lentement, comme avait fait Malli :

Mon bel Ariel! Ne dépends plus des éléments!
Sois libre! Adieu!

Malli s'attarda encore un moment, après quoi elle chercha son manteau du regard, et l'enfila. M. Sörensen remarqua que c'était le vieux manteau, qui venait de chez elle. Après l'avoir boutonné, elle se tourna vers son directeur, et dit :

– Pourquoi faut-il qu'il en soit ainsi pour nous?

– Pourquoi? répéta M. Sörensen.

– Pourquoi un tel désastre, monsieur Sörensen?

Une vive exaltation s'était emparée de M. Sörensen dès l'instant où il avait prononcé les paroles de Prospero : il était comme inspiré, et ce fut à la lumière de la longue expérience de sa vie qu'il répondit à Malli, conscient d'agir comme il le fallait :

– Enfant! Tais-toi! Il ne faut jamais poser de questions. C'est aux autres à venir nous questionner; et nous avons le noble privilège de leur répondre. Oh! Belles et claires réponses! Oh! Merveilleuses réponses à des questions d'une humanité déçue et divisée. Et nous ne sommes jamais appelés à en poser.

Malli réfléchit un peu avant de dire :

– Qu'est-ce que nous obtenons en retour?

Il répéta :

– Qu'est-ce que nous obtenons?

– Oui! Quelle est notre compensation, monsieur Sörensen?

M. Sörensen repassa en esprit toute leur conversation, et puis il se remémora sa longue vie, qui devait lui fournir la réponse demandée par Malli, et il dit d'une voix changée, sans même se rendre compte qu'il s'exprimait dans la langue sacrée :

– « Notre compensation est d'obtenir la méfiance du monde, et la cruelle solitude. Il n'y en a pas d'autre. »

XVII. LA LETTRE DE MALLI

Arndt revint de Stavanger le vendredi soir. On lui remit une lettre, qui contenait une pièce d'or, et il lut ce qui suit :

Arndt, mon bien-aimé,

Mes larmes coulent à flots pendant que je t'écris. Quand tu liras cette lettre, je serai bien loin de toi, et nous ne nous reverrons jamais. Je ne suis pas digne de toi, car je t'ai trompé; je ne t'ai pas été fidèle. Je n'ai pas été sincère avec toi. Oui, je t'ai trompé avant de te voir pour la première fois, avant que tu ne m'aies portée hors de la barque. Mais je te jure que je n'en savais rien, et que j'ignorais tout ce qui se passait en moi. Et je te jure aussi, et il faut que tu me croies, que je t'aimerai tant qu'il me restera un souffle de vie.

Cette lettre te révélera un secret. Arndt, je sais que tu m'aimes, et peut-être, quand je t'aurai dit mon secret, me pardonneras-tu, et me diras-tu qu'il faut que tout soit comme par le passé entre nous deux. Mais c'est impossible; car mon infidélité envers toi réside au fond même de mon être, et, où que je sois, elle est aussi. Je croyais que rien au monde ne pourrait être plus fort que notre amour; mais mon infidélité est plus forte.

Je l'ai compris pour la première fois quand j'ai appris la mort de Ferdinand; car il est mort, mais tu n'en as rien su à Stavanger. En le voyant couché dans sa bière, et en entendant les paroles désolées de sa mère, j'ai su, comme si quelqu'un était venu me le dire de bien loin, que cette mort nous séparerait toi et moi. Mais je ne me rendais pas encore tout à fait compte de l'état des choses : il me semblait que peut-être, même à présent, tout pouvait redevenir délicieux pour moi, comme auparavant. Oh! Que c'était délicieux!

Je restais très triste et inquiète, ne sachant que croire.

Mais, dimanche soir, comme nous étions assis au salon, ton père nous a raconté l'histoire de Jens Aabel, pour me faire plaisir. Ton père m'a dit, ensuite, que toute personne désespérée ayant un urgent besoin de secours, n'avait qu'à ouvrir la Bible de Jens Aabel. Le conseil désiré se trouverait de lui-même sur la page ouverte.

Et j'ai eu recours à ce moyen dans mon angoisse. Mais le passage que j'ai lu était terrible.

Ce soir, j'ai emporté la Bible dans ma cham-

bre; elle est posée devant moi, et j'ai relu le texte que je veux copier pour toi. J'aurai ainsi l'impression que je t'écris en présence de Jens Aabel, si bon, et si digne d'estime. Quand tu liras le verset à ton tour, il faudra te figurer aussi que Jens Aabel est resté assis près de moi pendant que je t'écrivais.

Le texte biblique qui m'est tombé sous les yeux se trouve dans le livre du prophète Esaïe, au chapitre 29, 1er verset. Le voici :

Malheur à Ariel!...
Tu seras abaissée : ta parole viendra de la [terre,
Et les sons en seront étouffés par la poussière.
Ta voix sortira de terre comme celle d'un [spectre
Et c'est de la poussière que tu murmureras tes [discours.

Ces paroles du prophète m'ont fait grand peur; mais, ce n'est qu'en continuant ma lecture, que j'ai bien compris que tout espoir m'était interdit désormais, car j'ai lu le 8e verset :

Comme celui qui a faim rêve qu'il mange
Puis s'éveille l'estomac vide
Et comme celui qui a soif rêve qu'il boit
Mais se réveille épuisé, dévoré de soif...

Oh! Oui, Arndt, voilà ce qui adviendrait de toi, si tu me gardais, et seulement dans ce cas. C'est pourquoi je te dis de ne pas songer à me pardonner, parce que c'est impossible.

L'un et l'autre, nous sommes jeunes, et je suis la plus jeune de nous deux. Mais je te parle dans cette lettre comme si j'étais aussi vieille que le prophète Esaïe, et comme si je participais à sa sagesse, et, en effet, je suis vieille et je suis sage en ce moment. Dans cette douleur insondable, qui me submerge, il me semble que je trouverai les paroles capables de te consoler un peu. Jamais notre rencontre n'aura été pour toi tout à fait inutile, et jamais tes regrets ne seront tout à fait inutiles pour moi.

Je veux te dire aussi ce soir que j'ai fait un poème. Je n'en ai jamais fait auparavant, et celui-ci n'est pas très bon. Mais tu le liras, n'est-ce pas? et tu y penseras en te souvenant de moi. Le voici :

Je t'ai appauvri, mon bien-aimé.
Je suis loin de toi quand je suis toute proche
Je t'ai enrichi, mon bien-aimé,
Je suis près de toi quand je suis bien loin.

A présent, j'ai repris courage, et je vais te confier le secret dont tu ne sais rien. Il faut que tu le saches, Arndt : quand j'étais au milieu de la tempête, dans le Kvaasefjord, je n'avais pas peur du tout. *A Christianssand, on me qualifie d'héroïne. Mais une héroïne* voit *le danger, en a peur, et le défie.*

Moi, je ne le voyais pas; je ne comprenais pas que nous étions en danger.

Hélas! Mon cher Arndt, au même moment, ton bon père éprouvait les plus grandes inquiétudes pour la Sophie-Hosewinckel, *et la mère de Ferdinand tremblait pour son fils. Je comprends maintenant, et je vois bien que, pour une créature humaine, il est beau d'avoir peur. Celui qui ne connaît pas la peur reste solitaire; les autres le rejettent. Mais moi, je n'avais pas peur, pas le moins du monde.*

Ce que je m'imaginais alors, tu ne pourrais jamais le comprendre tout seul; mais je vais essayer de te l'expliquer. Je croyais que la tempête était celle de la pièce de Shakespeare, dont je devais jouer un rôle prochainement, et que j'avais lu plus de cent fois. Dans la pièce je suis Ariel, un esprit de l'air, et Prospero, un puissant magicien, est mon maître. Cette nuit-là, je croyais que si la Sophie-Hosewinckel *coulait, j'aurais véritablement le pouvoir de m'envoler loin du navire en perdition.*

Quand j'ai entendu l'équipage crier : « Tout est perdu! », je pensais que le naufrage n'était autre que celui qui a lieu à la première scène de la pièce. Et quand, dans leurs angoisses, ils priaient : « Seigneur! Aie pitié de nous! », je reconnaissais aussi ces cris; c'est moi qui ai besoin de la pitié de Dieu, car j'ai ri en entendant leurs supplications dans la tempête.

On m'a dit que, pendant cette nuit-là, j'ai appelé plusieurs fois le pauvre Ferdinand. Mais, à bord de la Sophie-Hosewinckel, *c'était Ariel, qui, au milieu des hurlements de la tempête, réclamait le prince Ferdinand, à grands cris.*

Dans la pièce, il est question d'une île charmante, où l'air frémit de sons harmonieux et de la plus douce musique. Tous les naufragés finissent par s'y retrouver sains et saufs. Au plus fort de la tempête, je pensais, moi, que cette île n'était pas loin de nous.

A présent, tu sais tout. C'est pour cela que tu ne peux me garder, car j'appartiens à un autre monde que le tien, et c'est ce monde qu'il me faut rejoindre.

Je sais que tu pourras bien oublier ce que je t'écris aujourd'hui, mais tout ce qui se passe-

rait entre nous dorénavant ne saurait être qu'une répétition de ce qui s'est passé déjà.

Oh! Comme celui qui a faim rêve qu'il a [mangé
Puis il s'éveille l'estomac vide!
Et comme celui qui a soif rêve qu'il boit,
Puis s'éveille épuisé et languissant!

Tu trouveras une pièce d'or dans cette lettre : elle me rappellera à ton souvenir. Elle vient de mon père, mais c'est de l'or pur.

Je vais rester maintenant toute tranquille, et attendrai une heure avant de fermer mon enveloppe.

Une heure de gagnée... Je ne t'ai encore rien révélé. Rien n'est encore fini entre toi et moi, et je suis encore la bien-aimée que tu vas épouser.

... L'heure est passée.

Au cours de cette heure, j'ai pensé à deux choses. Voici la première : Bientôt un navire m'emportera loin d'ici, et il est possible que je rencontre une tempête, comme dans le Kvaasefjord. Mais, cette fois, je saurai nettement qu'il ne s'agit pas d'une pièce de théâtre. Ce sera la mort, et je crois qu'au dernier moment, avant de sombrer, je pourrai être tienne en toute sincérité. Et je pense aussi que lorsque le bruit des vagues dominera les battements de mon cœur, je serai heureuse de pouvoir dire : « J'ai été sauvée parce que je t'ai rencontré, et que je t'ai regardé, Arndt. »

Et voici la seconde : Est-ce ton pas que j'entends dans l'escalier?

Tu rentres du bureau, et tu es sur le point d'ouvrir ma porte. Il me semble, quand j'y repense, que j'ai vécu les plus heureux moments de ma vie, en prêtant l'oreille au bruit de tes pas dans l'escalier. Mes bras aspiraient à se poser autour de ton cou avec une telle violence que j'en aurais crié de douleur. Oh! Qu'ils me faisaient mal!

Adieu, Arndt! Adieu, adieu! Sur cette terre, j'étais infidèle et j'ai été rejetée, mais je te reste fidèle dans la mort, la résurrection et pour l'éternité.

MALLI.

L'éternelle histoire

I. MR CLAY

Un marchand de thé, immensément riche, vivait à Canton, dans les années 60 du siècle dernier. Il s'appelait Mr McClay. C'était un vieux bonhomme, grand et sec. On disait de lui qu'il avait une main de fer et qu'il était avare. Nul ne le recherchait. Ses regards, sa voix, ses manières, lui avaient valu sa réputation plus que tout ce qu'on savait de lui et qu'on aurait pu lui reprocher. Cependant, on répétait sur son compte deux ou trois anecdotes, qui accréditaient l'opinion générale.

Voici l'une de ces anecdotes.

Quinze ans plus tôt, un négociant français avait été pendant un temps l'associé de Mr Clay, mais, après une querelle, il n'avait plus travaillé que pour son propre compte et, par suite de spéculations malheureuses, il perdit sa fortune. En dernier recours, il essaya d'obtenir un chargement de thé à bord du *Thermopyles,* un voilier prêt à quitter le port. Mais le Français devait trois cents guinées à Mr Clay et le créancier se saisit du thé. Il embarqua sa propre cargaison de thé sur le *Thermopyles* et acheva, par là, la ruine de son rival. Le Français perdit tout : on vendit sa maison et il fut jeté à la rue avec sa famille.

Quand il ne vit plus aucune issue à ses malheurs, il se suicida. Or, ce négociant français avait été un homme de talent, voire de génie. Il avait une charmante épouse, et plusieurs enfants. Aux yeux de ses anciens amis, il formait un contraste absolu avec le personnage rigide qu'était Mr Clay, et son souvenir se para d'une sorte d'auréole aux rayons doux et gais. Une collecte s'organisa en faveur de la veuve; mais à cause de la rivalité entre les communautés anglaise et française de Canton, le résultat en fut médiocre. Au bout de peu de temps, le cercle des amis et connaissances du Français perdit de vue sa veuve et ses enfants.

Mr Clay vint occuper la maison.

C'était une belle demeure, avec un grand jardin. Sur les pelouses se pavanaient des paons. Le marchand de thé y vivait toujours à l'époque où commence cette histoire.

Celle de M. Dupont prit peu à peu forme de mythe.

On racontait que, le jour de sa mort, il avait réuni sa jolie et aimable femme et ses ravissants enfants. Il leur déclara que le début de leurs épreuves datait du jour où il avait vu Mr Clay pour la première fois et il leur fit jurer, par un serment solennel, de ne plus jamais revoir cet homme, en aucun lieu et en aucune circonstance. Il ajouta qu'au moment où il avait été sur le point de quitter la maison dont il avait été si fier, il avait brûlé ou détruit tous les objets d'art. Il prétendait que les choses ayant contribué à l'embellissement de sa demeure ne consentiraient pas à vivre avec le nouveau maître. Mais il avait laissé dans toutes les pièces les grandes glaces apportées de France. Jusqu'à présent, elles n'avaient réfléchi que des scènes de bonheur et d'affection, mais, dorénavant, ce serait la punition de son assassin de trouver partout le portrait du gibier de potence qu'il était.

Mr Clay s'installa dans la maison. Ses repas se passaient dans la solitude, en face de sa propre image. Il est fort douteux qu'il eût conscience de l'hostilité des objets qui l'entouraient, car la pensée d'inspirer de la sympathie ne l'avait jamais effleuré.

S'il eût été entièrement libre de décider de l'aspect et du caractère de son cadre de vie, il ne l'aurait pas désiré autre qu'il n'était. Rien de plus naturel alors que de croire sa demeure exactement telle qu'il la voulait. Dans sa longue carrière de nabab, Mr Clay avait acquis une foi entière en son omnipotence.

D'autres gros négociants de Canton avaient la même confiance en eux-mêmes et, comme Mr Clay, ils la conservaient en ignorant délibérément la partie du monde qui échappait à leur pouvoir.

Mr Clay tomba malade de la goutte à l'âge de soixante-dix ans, et il resta longtemps presque paralysé. Il souffrait au point de ne plus dormir la nuit, et les nuits lui paraissaient désespérément longues.

Un beau soir, un de ses jeunes employés vint chez lui à une heure déjà avancée, portant une pile de relevés de comptes qu'il venait de vérifier. L'entendant parler à ses domestiques, Mr Clay envoya chercher le jeune homme et examina les livres de comptes avec lui. Quand vint le matin, le malade trouva que cette nuit-là s'était écoulée moins lentement que les autres. Le soir, il fit appeler de nouveau son employé pour qu'il lui relise ses livres d'un bout à l'autre. Et, à partir de ce moment-là, il fut de règle pour le jeune homme de se présenter à neuf heures du soir à la porte de l'immense et somptueuse chambre à coucher de Mr Clay. Il venait s'asseoir à côté du lit de son patron et, à la lumière d'une bougie, lui faisait la lecture des factures, des contrats, des devis, qui concernaient les affaires de Mr Clay. Sa voix était claire et sonore, mais, vers le matin, il s'enrouait quelque peu, ce qui agaçait Mr Clay.

Dans sa jeunesse, celui-ci avait eu l'oreille fine, mais il devenait sourd à présent, et il dit à son employé que, puisqu'il le payait pour faire son travail, il le renverrait et prendrait un autre secrétaire si ce travail était mal fait.

Lorsque le patron et l'employé eurent terminé la vérification des livres en cours, le vieillard soupira et détourna la tête d'un air chagrin. Mais le jeune homme, après avoir réfléchi, alla ouvrir les coffres-forts et en tira des livres de comptes vieux de cinq, dix, quinze ans. Après quoi, il fit, mot pour mot, la lecture de leur contenu à Mr Clay, qui l'écoutait avec attention pendant toutes les heures de la nuit.

Cette lecture lui rappelait ses projets, ses triomphes du passé. Cependant, les nuits étaient longues et, avec le temps, le lecteur se trouva à court d'aliment. Les vieux livres, eux-mêmes, s'épuisaient et il dut relire les textes déjà lus.

Un matin, alors qu'il avait, pour la troisième fois, passé en revue des comptes datant de vingt ans et qu'il se disposait à aller se coucher lui-même, Mr Clay le retint. Une idée semblait le préoccuper.

Les cheminements de la pensée de son patron éveillaient toujours une vive curiosité chez l'employé, et il s'attarda un peu pour permettre à Mr Clay de trouver comment formuler ses désirs.

Au bout d'un moment, Mr Clay demanda, d'un ton réticent où transparaissaient la gêne et l'hésitation, si le jeune homme ne connaissait pas d'autres livres. L'employé répondit que non. Il n'en connaissait pas d'autres, mais il en trouverait, pourvu que Mr Clay lui dise quel genre de livres il désirait.

De la même voix hésitante, Mr Clay dit qu'il songeait à des ouvrages qui se rapportaient non pas à des affaires ou à des transactions commerciales, mais à des choses d'un ordre différent, des choses que certaines gens avaient écrites et que d'autres gens avaient lues.

L'employé réfléchit à la question et répéta qu'il n'avait pas entendu parler de ce genre de livres. La conversation en resta là et le jeune homme reprit congé de Mr Clay.

En route, cependant, il ne cessa de penser à ce que lui avait demandé son patron. La requête du vieillard semblait exprimer, presque à son insu, un désir profond, qui se manifestait avec une sorte de timidité, voire de honte.

Si la honte n'eût pas été un sentiment inconnu à la nature du jeune employé, il aurait laissé son vieil employeur à ses hésitations et aurait effacé de sa mémoire cet unique manque de dignité de Mr Clay, il n'aurait plus cherché à le satisfaire et aurait tiré son épingle du jeu, sauvegardant sa propre dignité. Mais, comme il ignorait tout de ce genre de sentiments, il se livra à diverses sortes de suppositions.

Cette demande était un symptôme de faiblesse, peut-être même un présage de mort. Quelles seraient pour lui-même les conséquences de cet état de choses?

II. ELISHAMA

Dans les bureaux de Mr Clay, on connaissait le jeune employé qui lui avait fait la lecture sous le nom d'Ellis Lewis, mais ce n'était pas son véritable nom. Il s'appelait en réalité Elishama Levinsky, et s'il se donnait pour un autre, ce n'était pas, comme faisaient certaines gens ayant émigré en Chine à cette époque, pour dissimuler quelque attentat ou quelque crime personnel. Il cherchait à oublier un tort qu'on lui avait fait, et les lourdes épreuves de son passé. Elishama était un Juif, né en Pologne. Toute sa famille avait été tuée au cours du terrible pogrom de 1845. D'après ses souvenirs, il devait être alors âgé de six ans. D'autres Juifs polonais ayant échappé à la persécution, l'avaient emmené dans leurs tristes et misérables bagages. Depuis ce temps-là, pareil à quelque marchandise de peu de valeur, il avait été ballotté de-ci de-là, oublié par les uns, repris par les autres. Enfant solitaire et perdu, entièrement livré aux caprices du hasard, il avait connu, à Francfort, Amsterdam, Londres et Lisbonne, des souffrances impossibles à raconter et qu'il se rappelait même assez mal. Tous ces souvenirs imprécis gisaient au fond de sa mémoire, tels des poissons des grands fonds qui n'apparaissaient jamais à la pleine lumière.

A Londres, la chance avait voulu qu'il rencontrât un comptable italien plein de ressources. Ce bonhomme lui enseigna la lecture et l'écriture et, avant de mourir, lui en apprit même davantage. En une année, Elishama en savait plus sur la tenue des livres et la comptabilité en partie double, que la plupart des gens en dix ans d'études.

Plus tard, le jeune garçon fut embarqué pour l'Extrême-Orient où il échoua dans les bureaux de Mr Clay, à Canton. Il était devant son pupitre pareil à un instrument aiguisé par la meule de la vie et dont le tranchant atteint son maximum d'efficacité. Sa vue et son ouïe valaient celles du lynx et il n'avait plus la moindre illusion concernant le monde et l'humanité. Armé de la sorte pour la lutte, Elishama aurait pu faire une brillante carrière et devenir un personnage très dangereux pour ceux qui croisaient sa route. Mais il n'en fut rien et la raison de cet état de choses, vraiment illogique, n'était autre que l'absence totale d'ambition chez le jeune homme. Tout désir, sous quelque forme qu'il pût naître, avait été comme emporté par les flots ou consumé par les flammes chez l'enfant, avant même qu'il eût appris à lire.

A le voir, Elishama était un agréable jeune homme, tout ordinaire, plutôt petit, mince, les cheveux très noirs, les yeux bruns un peu voilés. Il aurait passé facilement pour un autochtone de n'importe quel pays. Mentalement, il n'avait rien d'un homme jeune : il ressemblait plutôt à un enfant trop précoce ou à un vieillard. Nulle trace de douceur, de plénitude dans son caractère; nulle aspiration à l'amour, aucun goût pour l'aventure, nul souci d'entrer en compétition avec autrui. Elishama ne connaissait pas non plus la peur et le combat ne l'attirait pas. Par son air sérieux et par sa manière d'être, il était comparable à un insecte, à une fourmi par exemple, difficile à écraser, même à coups de talon.

Il avait cependant une passion, si l'on peut qualifier de passion le besoin fanatique de sécurité et de solitude. Ce besoin s'apparentait au mal du pays, ou à l'instinct du pigeon, qui le pousse à revenir vers son nid. Tout ce qu'au plus intime de son être il exigeait de la vie, était de rentrer chez lui et de s'y enfermer, certain que personne ne le suivrait ou ne viendrait le déranger.

Le refuge qu'il retrouvait, et dont il refermait la porte sur lui, était une petite pièce obscure dans une rue étroite. Il y couchait sur un vieux canapé prêté par sa logeuse. Mais cette pièce contenait les rares objets qui appartenaient réellement à Elishama : une table en bois peint couverte de taches d'encre, deux chaises et une armoire. Ces objets avaient une grande importance aux yeux de leur propriétaire. Il lui arrivait d'allumer une petite bougie en pleine nuit pour le seul plaisir de contempler ce qui constituait une sorte de garantie contre les risques et les dangers de ce monde.

Parfois aussi, Elishama se réconfortait en se représentant mentalement des séries de nombres : dix, vingt, sept mille. Pas un ne manquait, Elishama pouvait s'endormir tranquille.

Lui, qui méprisait les biens de ce monde, passait ses jours, du matin au soir, au milieu de gens avares et cupides. Il n'avait fait que cela toute sa vie, et il n'y voyait rien que de naturel. Il saisissait jusque dans leurs moindres nuances les sentiments de ses semblables et les approuvait car, quels que fussent ces sentiments, Elishama finissait toujours par revenir dans son refuge à la porte bien close. Et si les efforts désespérés de ce monde pour obtenir l'or et la puissance devaient jamais cesser, cette chambrette et cette porte subsisteraient-elles? Elishama n'en était pas certain.

Ses dons et son intelligence lui servaient donc

à attiser la flamme des cupidités et des ambitions des autres et, en particulier, il encourageait l'ambition et la cupidité de Mr Clay, et il en observait les manifestations d'un œil attentif.

Entre Mr Clay et son jeune employé, avant même leurs séances nocturnes de lecture, il s'était établi une sorte d'entente, chose exceptionnelle étant donné le caractère de chacun d'eux. Cette entente avait débuté un jour qu'Elishama avait attiré l'attention de Mr Clay sur le fait qu'il était volé par les gens chargés par lui d'acheter des chevaux. Un ancêtre lointain d'Elishama avait vendu des chevaux à des princes et des magnats polonais, et le jeune comptable de Canton conservait dans le sang le vieil instinct juif du maquignon. Pour rien au monde, il n'aurait voulu posséder lui-même un cheval, mais il stimulait la vanité de Mr Clay concernant ses attelages, vanité dont dépendait peut-être en fin de compte sa propre sécurité.

De son côté, Mr Clay, frappé par le jugement avisé du jeune homme, lui avait confié la superintendance de ses écuries, et jamais ce choix ne l'avait désappointé.

Le patron et l'employé n'avaient plus eu d'autres rapports directs, mais Mr Clay n'ignorait plus l'existence d'Elishama, de même qu'Elishama n'ignorait pas depuis longtemps celle de Mr Clay. Leurs relations avaient un caractère d'une nature spéciale. On aurait pu remarquer qu'ils ne parlaient jamais l'un de l'autre à qui que ce soit; et, de ce fait, ils rompaient tous deux avec leurs habitudes. Car Mr Clay ne cessait de se plaindre de ses jeunes employés à ses chefs du personnel, tandis qu'Elishama possédait une langue acérée. Ses remarques concernant les gros et les petits négociants de Canton étaient devenues proverbiales dans les entrepôts et les bureaux de la ville. C'est ainsi que Mr Clay et son employé avaient l'air de faire face ensemble au reste du monde, et ils se comportaient, en effet, exactement comme l'auraient fait un père et un fils.

Ce jour-là, Elishama, de retour dans sa chambre, se disait à part lui, en pensant à Mr Clay, que son patron était un plus grand imbécile qu'il ne l'avait cru au premier abord. Un peu après, il alla se faire une tasse de thé, luxe qu'il se permettait en rentrant des séances de lectures nocturnes, et tout en absorbant la boisson chaude, il laissait errer ses pensées de côté et d'autre.

Que désirait, en somme, Mr Clay ? Il était bien possible que les livres qu'il évoquait existassent réellement. Elishama était habitué à satisfaire les désirs de son employeur : si ces livres existaient, il fallait les trouver et il les trouverait, même s'ils devaient être fort rares.

Le jeune homme resta longtemps appuyé sur sa main. Enfin, il se leva pour ouvrir l'armoire placée dans un coin de la pièce, et il en tira une petite boîte peinte en rouge, qui, à son arrivée à Canton, renfermait tout ce qu'il possédait au monde.

Il en examina minutieusement le contenu, et finit par découvrir, dans un petit sachet de soie, une feuille de papier jauni bien pliée. A la lueur de la chandelle, Elishama lut ce qui était écrit sur cette feuille.

III. LA PROPHÉTIE D'ESAÏE

Parmi les Juifs qui, en fuyant la Pologne, avaient emmené Elishama avec eux, se trouvait un vieillard très âgé, qui mourut en route. Avant de mourir, ce vieillard avait donné à Elishama le papier dans son enveloppe de soie. Elishama noua le petit sachet à son cou et s'il réussit à le conserver pendant plusieurs années, ce fut surtout parce que l'enfant se déshabillait rarement.

A ce moment-là, il ne savait pas lire, et il ignorait ce qui était écrit sur le papier. Mais quand, à Londres, il eut appris à lire, et qu'il s'aperçut qu'on attachait de la valeur aux choses écrites, il sortit son papier du sachet, et vit qu'il était transcrit en lettres différentes de celles qu'on lui enseignait. Son maître l'envoyait de temps à autre faire une commission dans la petite boutique, obscure et sale, d'un prêteur à gages, qui était un ecclésiastique défroqué. Elishama apporta le papier à cet homme, et lui demanda s'il avait une signification quelconque. L'autre répondit qu'il était rédigé en hébreu, et Elishama le pria de le lui traduire pour la somme de trois pence. Le prêteur à gages relut attentivement ce qui était écrit et, en reconnaissant les termes, en vérifia le contexte biblique. Il le copia en anglais, et accepta gravement les trois pence.

Le jeune garçon conserva ensuite à la fois l'original et la traduction.

Ce fut dans l'espoir de venir en aide à Mr Clay qu'Elishama sortit le sachet de sa boîte ce soir-là. Il n'aurait pas agi de même en d'autres circonstances, car cet objet évoquait pour lui des souvenirs de ténèbres et d'horreurs et celui, presque effacé, d'un ami. Or, Elishama n'avait pas plus envie que Mr Clay d'avoir des amis : les amis, pour le jeune homme, étaient des gens qui souffraient et mouraient. Le mot « ami » était synonyme de séparation et de perte.

A quelque temps de là, la séance de lecture venait de se terminer; Mr Clay, tout grognon, se préparait à renvoyer son lecteur, quand celui-ci tira de sa poche une feuille de papier sale, et dit :

– Mr Clay, voici quelque chose que je vais vous lire.

Un regard étonné des yeux pâles du vieillard répondit seul à cette phrase. Puis Elishama commença :

Que se réjouissent désert et terre aride,
Qu'exulte et fleurisse la steppe,
Qu'elle porte fleurs comme jonquilles
Qu'elle exulte et crie de joie!
La gloire du Liban lui est donnée!

(*Esaïe*, XXXIV, v. 12;
XXXV, v. 1 et 2.)

– Hein! Que veut dire cela? fit Mr Clay d'un ton acerbe.

Elishama déposa son papier et répondit :

– Ceci, Mr Clay, est ce que vous réclamiez. C'est quelque chose qui n'a rien à voir avec les livres de comptes, et que des hommes d'autrefois ont composé et transcrit.

Il continua :

La splendeur du Carmel et du Saron
On verra la gloire de Jahvé
La splendeur de notre Dieu!

Rendez fortes les mains fatiguées
Et fermes les genoux chancelants!
Dites aux...

– Mais voyons! s'écria Mr Clay, d'où avez-vous tiré ces paroles?

Elishama éleva la main pour lui imposer silence, et il lut à haute voix :

Dites aux cœurs bouleversés :
« Courage! Ne craignez pas!
Voyez! C'est votre Dieu,
C'est la vengeance qui vient;
C'est la rétribution de Dieu,
C'est lui qui vient vous sauver. »

Alors les yeux des aveugles se dessilleront,
Les oreilles des sourds s'ouvriront;
Alors le boiteux bondira comme un cerf
Et la langue du muet criera de joie

Car de l'eau jaillira dans le désert,
Des torrents dans la steppe;
La terre brûlée deviendra un étang
Et le pays de la soif se changera en sources.
Les repaires, où gîtaient les chacals
Deviendront des fourrés de roseaux et de [papyrus.

Quand Elishama en fut arrivé là, il déposa sa feuille de papier et regarda droit devant lui. La respiration de Mr Clay était oppressée; il répéta :

– Mais qu'était-ce donc que tout cela?

– Je vous l'ai dit, Mr Clay, et vous l'avez entendu : quelqu'un a composé ces phrases, et les a mises par écrit.

– Ce qu'il a dit là est-il arrivé?

– Non! fit Elishama d'un accent profondément méprisant.

Il y eut un silence.

– L'a-t-il dit de nos jours? reprit Mr Clay.

Même réponse. Même accent. Au bout d'un moment, Mr Clay posa une nouvelle question :

– Qui donc est l'homme qui a écrit cela?

– Le prophète Esaïe.

– Quoi? Que dites-vous? Le prophète Esaïe? Expliquez-moi ce que c'est qu'un prophète.

– C'est quelqu'un qui a prédit des choses.

– Alors, ces choses devraient se réaliser?

Elishama, qui ne se souciait pas de désavouer le prophète Esaïe, répondit :

– Oui, mais pas à présent.

– Relisez-moi le passage sur le boiteux.

Elishama lut : « Le boiteux bondira comme un cerf. »

Encore un silence, après quoi Mr Clay dit encore du même ton de commandement :

– Relisez ce qui est écrit sur les genoux chancelants.

Elishama lut : « Rendez fermes les genoux chancelants. »

– Et le passage sur les sourds?

– « Alors les oreilles des sourds s'ouvriront. »

Cette fois, le silence fut très long.

– Quelqu'un fait-il ce qu'il faut pour que ces choses arrivent? dit enfin Mr Clay.

– Non! dit Elishama, et sa voix trahissait encore un plus grand mépris. Quand Mr Clay reprit l'entretien, Elishama remarqua, à son accent, qu'il était complètement réveillé.

– Relisez-moi tout! ordonna le vieillard.

Elishama obéit. Après les derniers mots, Mr Clay demanda :

– A quel moment vivait-il donc exactement ce prophète ?

– Je ne sais pas, Mr Clay, mais je crois qu'il y a environ mille ans.

A ce moment-là, Mr Clay souffrait beaucoup de ses genoux, et ses infirmités lui pesaient douloureusement.

– C'est stupide, déclara-t-il, de raconter des choses qui n'arriveront que dans mille ans. Et il ajouta : On devrait plutôt rappeler celles qui se sont déjà passées.

– Voulez-vous, dit Elishama, que je reprenne les livres de comptes ?

Mr Clay resta longtemps sans répondre. Quand il reprit la parole, ce fut pour dire :

– Non, non ! On peut rappeler des choses qui sont vraiment arrivées sans chercher dans les livres de comptes. Je sais le nom de ces rappels; on les qualifie d'histoires. J'ai moi-même entendu raconter une histoire. Ne me dérangez pas... Je vais essayer de la retrouver dans ma mémoire.

Il tarda un bon moment avant de poursuivre en ces termes :

– Quand j'avais vingt ans, j'ai fait voile d'Angleterre en Chine et j'ai entendu raconter cette histoire au cours de la nuit, avant que nous ayons doublé le cap de Bonne-Espérance. Maintenant, je me souviens parfaitement de tout.

« C'était une nuit chaude; la mer était calme et la pleine lune brillait au ciel. J'étais resté assez longtemps seul au gaillard d'arrière, quand trois marins vinrent s'asseoir sur le pont. Ils étaient assez près de moi pour me permettre d'entendre tout ce qu'ils disaient; mais eux ne me voyaient pas. L'un des marins raconta l'histoire aux autres; il parlait de choses qui lui étaient arrivées à lui-même. J'ai entendu ce récit d'un bout à l'autre, et je vais vous le répéter. »

IV. L'HISTOIRE

Mr Clay commença ainsi :

« Un jour, le marin aborda au port d'une grande ville dont le nom m'échappe, mais peu importe. Il traversait une rue proche du port quand un bel équipage se dirigea vers lui et s'arrêta. Un vieux monsieur en descendit et dit au matelot : « Vous êtes un matelot de belle « prestance; vous plairait-il de gagner cinq gui- « nées? »

L'obscurité seule permit à Mr Clay de continuer son récit, car il n'avait en aucune façon l'habitude de parler. Il fit un grand effort pour répéter : « Vous plairait-il de gagner cinq guinées? »

Elishama profita du trouble du vieillard pour réintégrer la prophétie d'Esaïe dans son petit sac, et mettre le sac dans sa poche. Puis Mr Clay parla de nouveau :

« Le marin répondit : « Oui, naturelle- « ment. »

« Le riche inconnu l'invita alors à l'accompagner chez lui, et l'emmena jusqu'à une somptueuse demeure située aux abords immédiats de la ville. Le marin ne s'était pas douté qu'il pût exister tant de splendeur, car la maison était aussi belle et aussi riche à l'intérieur qu'à l'extérieur. Comment, d'ailleurs, un jeune garçon comme ce matelot aurait-il jamais pénétré dans la demeure d'un des puissants de ce monde? Son hôte lui fit servir un excellent repas, et des vins de prix. Le matelot décrivit tout ce qu'il avait mangé et bu, mais j'ai oublié les noms des mets et des vins.

« Le repas fini, le maître de maison dit au marin : « Je suis, vous le voyez, un homme très « fortuné; l'homme le plus fortuné de cette ville. « Mais je suis vieux; il ne me reste plus beau- « coup d'années à vivre. Or, je déteste tous ceux « qui hériteront de ce que j'ai amassé pendant « ma vie et je n'ai aucune confiance en eux. Il y « a trois ans, j'ai pris une jeune épouse, mais « malheureusement pour moi, notre union est « restée sans enfants. »

Ici, Mr Clay fit une pause pour rassembler ses souvenirs.

– Si vous me le permettez, intervint Elishama, je vous raconterai cette histoire moi-même.

– Comment? s'écria Mr Clay, furieux de l'interruption.

– Je vous raconterai la fin de l'histoire avec votre permission, Mr Clay.

Mr Clay, interdit, ne trouva rien à objecter, et Elishama continua le récit :

« Le vieux monsieur conduisit le marin dans une chambre à coucher éclairée par des chandelles fixées dans des chandeliers d'or pur. Il y en avait cinq d'un côté et cinq de l'autre, n'est-il pas vrai, Mr Clay? Les murs étaient ornés de sculptures et de palmiers. Un lit se trouvait dans un angle de la pièce; une jeune femme était couchée dans ce lit qu'entouraient des chaînes d'or. Le vieillard dit à la jeune femme : « Vous « savez ce que je désire; maintenant, faites de « votre mieux pour me satisfaire. »

« Il tira ensuite une pièce d'or de sa bourse, une pièce de cinq guinées, Mr Clay, et la tendit au marin, puis il sortit de la chambre.

« Le jeune marin resta toute la nuit avec la dame, mais, quand le jour parut, un vieux serviteur lui ouvrit la porte de la maison et il s'en alla rejoindre son bateau.

« C'est bien cela, n'est-ce pas, Mr Clay? »

Mr Clay resta presque une minute bouche bée; enfin il demanda :

– Par quel hasard connaissiez-vous cette histoire? Auriez-vous rencontré, vous aussi, le matelot qui se trouvait sur mon bateau près du cap de Bonne-Espérance? Ce doit être un vieillard maintenant, car son aventure date de longues années.

– Cette histoire, qui, selon vous, est arrivée au marin de votre bateau, n'est jamais arrivée à personne, Mr Clay. Tous les navigateurs la connaissent, tous les navigateurs souhaitent qu'elle soit leur propre histoire, et la racontent comme telle. Mais il n'en est rien. Ceux qui écoutent le récit, ils veulent qu'il leur soit fait de la manière qui leur plaît, et pas autrement. Peut-être le conteur peut-il se permettre de légères variantes, et quelques enjolivements de son cru, par exemple en décrivant la dame, et en donnant des détails sur la nuit d'amour. Mais par ailleurs l'histoire reste toujours la même.

Après ces déclarations d'Elishama, le vieillard se tut, mais il ne tarda pas à grommeler, d'une voix enrouée par la colère et le désappointement.

– Comment le savez-vous?

– Vous allez l'apprendre, Mr Clay. Vous n'avez fait qu'une seule traversée pour vous rendre en Chine; vous n'avez donc pu entendre cette histoire qu'une seule fois. Mais moi, j'ai navigué sur plusieurs bateaux. J'ai été d'abord de Gravesend à Lisbonne, et, en route, j'ai appris par un marin l'histoire que vous m'avez racontée. J'étais très jeune alors, de sorte que j'ai bien failli la croire vraie, mais pas tout à fait cependant. De Lisbonne, je suis allé au cap de Bonne-Espérance : un matelot du bateau raconta l'histoire, lui aussi. Un autre marin me l'a redite lorsque je voguais vers Singapour. C'est l'histoire de tous les marins du monde entier; jusqu'aux phrases, et aux mots, qui restent les mêmes. Mais tous les marins sont enchantés de l'entendre raconter une fois de plus.

– Pourquoi la racontent-ils puisqu'elle n'est pas vraie? dit Mr Clay.

Elishama réfléchit avant de répondre, puis il dit :

– Je vais vous l'expliquer : écoutez-moi bien, Mr Clay.

« Sur un certain point, les hommes sont tous les mêmes. Lorsqu'il s'agit de souscrire à un nouveau projet financier, on prouve par des documents irréfutables que les souscripteurs feront un bénéfice de 100 %, voire de 200 %, et chacun sait que c'est impossible, néanmoins les gens exigent de voir ces chiffres prometteurs figurer sur le papier, sinon ils ne veulent pas entendre parler du projet. Il en va de même de la prophétie d'Esaïe, que je vous ai lue. Le prophète qui l'a écrite vivait, j'imagine, dans une région où il pleuvait trop peu; c'est pourquoi il disait que la terre brûlée deviendra un étang. En Angleterre, où le sol est presque toujours un étang, personne ne se soucie de copier cette prophétie, ou de la lire. Les marins qui racontent votre histoire, Mr Clay, sont de pauvres types, qui mènent une vie solitaire. C'est pourquoi ils décrivent cette riche demeure, et cette belle dame. Mais l'histoire qu'ils racontent n'est jamais arrivée. »

Mr Clay ne se tint pas pour battu, il riposta :

– Le marin dit aux autres qu'il avait *senti* le poids de la pièce d'or dans sa main et qu'il en avait *senti* le froid contre sa paume.

– Mais oui, Mr Clay, dit Elishama, et savez-vous pourquoi il prétendait avoir éprouvé ces sensations ? C'est parce qu'il savait et que les autres savaient aussi que pareille aventure est impossible. S'ils l'avaient crue possible, ils ne l'auraient jamais décrite. Un marin, lorsqu'il descend à terre, paie une fille des rues pour passer la nuit avec elle. Parfois il la paie dix shillings, parfois cinq, parfois même il ne lui donne que deux shillings. Aucune de ces femmes n'est belle, ni jeune, ni riche. Il peut arriver, bien que j'en doute fort, qu'une femme permette à un matelot de l'accompagner pour rien, mais si le cas s'est présenté, aucun marin n'en a jamais parlé. Ici, le marin prétend qu'une dame, belle et riche, une de ces dames qu'il a vues de loin peut-être mais auxquelles il n'a jamais adressé la parole, l'a payé cinq guinées pour cette même chose. Dans l'histoire, Mr Clay, il s'agit toujours de cinq guinées. C'est une entorse à la loi de l'offre et de la demande, qui n'a jamais existé et n'existera jamais. C'est pourquoi on raconte cette histoire.

A ce moment-là, Mr Clay était incapable d'articuler un mot tant il était troublé, surpris et vexé. Il était furieux contre Elishama parce qu'il devinait bien que son secrétaire tirait avantage de sa faiblesse et défiait son autorité. Mais il en voulait surtout au prophète Esaïe, qui était en train de démolir le monde et lui-même, Mr Clay, avec ce monde. Le secrétaire et le prophète se liguaient contre lui, Mr Clay le voyait bien.

Quand il reprit l'entretien, il dit, d'une voix

rauque et éraillée, mais aussi ferme que lorsqu'il donnait des ordres dans ses bureaux :

– Si cette histoire ne s'est jamais passée auparavant, j'en ferai une réalité, moi. Je n'aime pas les fantaisies de l'imagination; je n'aime pas les prophéties. Il est malsain et immoral de s'occuper de choses dépourvues de réalité. Moi, j'aime les faits : je vais transformer cette fiction en un fait positif.

Après avoir ainsi parlé, le vieillard se sentit le cœur plus léger. Il prévoyait qu'il allait avoir raison d'Elishama et du prophète Esaïe. Il leur prouverait que sa puissance restait entière.

– L'histoire se réalisera, dit-il. Un marin la racontera du commencement à la fin, telle qu'il l'aura vécue lui-même.

Lorsque Elishama rentra chez lui au petit jour, il se dit à part lui : « Ou bien ce vieux bonhomme est en train de devenir fou, ou bien il va mourir; sinon, il aura honte demain du projet qu'il a formé cette nuit; il souhaitera l'oublier, et ce que j'aurai à faire de plus sage, c'est de ne plus en souffler mot en sa présence. »

V. LA MISSION D'ELISHAMA

Cependant, Mr Clay n'éprouvait pas la moindre honte; le projet envisagé pendant la nuit l'absorbait si complètement, et devenait à ses yeux une épreuve de force entre lui et ceux qui se révoltaient contre son autorité. Quand l'horloge sonna de nouveau minuit, il reprit le sujet et dit à Elishama :

– Croyez-vous que je ne suis pas capable de faire ce qui me plaît ?

Cette fois, Elishama ne prononça pas un seul mot de nature à contredire Mr Clay, il répondit :

– Non, Mr Clay, je crois que vous êtes capable de faire tout ce que vous voulez.

Mr Clay dit :

– Je veux que l'histoire que je vous ai racontée la nuit dernière se passe dans la vie réelle, et pour des gens qui existent réellement.

Elishama répondit :

– Je chercherai à vous satisfaire. Où voulez-vous que l'histoire se passe ?

– Ici même ! fit Mr Clay, en jetant un coup d'œil de satisfaction orgueilleuse à sa vaste chambre à coucher, meublée avec un si grand luxe. Dans ma maison, je désire y assister moi-même en personne et voir tout de mes propres yeux. Je veux découvrir le marin moi-même dans une rue voisine du port. Je veux dîner en tête à tête avec lui dans ma salle à manger.

– C'est bien ! dit Elishama. Et quand voulez-vous que cette histoire arrive réellement à des gens réels ?

– Il faudrait que ce soit bientôt, répondit Mr Clay, après un court silence. Très bientôt. Pourtant, je me sens mieux cette nuit et, dans une semaine, mes forces seront presque revenues.

– Dans ce cas, dit Elishama, je m'arrangerai pour que tout soit prêt dans une semaine.

Après quelques instants, Mr Clay dit encore :

– Je paierai tous les frais, que m'importe qu'ils soient élevés !

Ces paroles étaient révélatrices d'une telle solitude, qu'Elishama crut les entendre prononcer du fond d'une tombe, mais, comme la tombe n'avait rien d'étranger pour le jeune homme lui-même, un grand rapprochement s'opéra entre lui et son patron.

– En effet, dit-il, il faudra pas mal d'argent, car rappelez-vous qu'il y a une jeune femme dans l'histoire.

– Oui, une jeune femme ! Mais le monde est plein de femmes, il est toujours possible d'acheter une jeune femme. C'est ce qu'il y a de meilleur marché dans toute l'affaire.

– Mais non ! Mr Clay, vous vous trompez, car, si je vous amène une fille de rues, le marin la reconnaîtra tout de suite pour ce qu'elle est et il n'aura plus confiance dans votre histoire.

Mr Clay grommela dans sa barbe. Elishama reprit :

– Je ne pourrai pas non plus vous avoir une jeune fille...

– Je vous paie pour faire ce travail, rétorqua Mr Clay. La découverte de la femme qu'il me faut est une partie de ce travail.

– Je vais réfléchir, dit Elishama.

Mais, tout en parlant avec Mr Clay, il avait déjà élaboré un plan.

Comme il a été dit, Elishama était expert dans la tenue des livres et la comptabilité en partie double. Il considérait Mr Clay comme l'aurait considéré le reste du monde, si le reste du monde avait été au courant des projets de Mr Clay, c'est-à-dire comme un fou. Mais, en même temps, il voyait son patron avec ses propres yeux et aux yeux d'Elishama, Mr Clay et les négociants, ses collègues, qui se livraient au commerce du thé ou à tout autre commerce, avaient toujours été fous. En vérité, Elishama n'était pas bien convaincu que, pour un homme ayant un pied dans la tombe, la réalisation d'une histoire n'était pas une entreprise plus raisonnable que la recherche du profit. En tout temps, Elishama prenait le parti de l'individu contre le monde. Quelle que fût la folie de l'individu, le monde dans son ensemble était, sans aucun doute, plus désespérément bête et méchant. Une fois de plus, en quittant la maison de Mr Clay, l'employé comprit qu'il était indispensable à son patron et qu'il pourrait tout obtenir de lui. D'ailleurs, il n'avait aucune intention de tirer avantage de cet état de choses, mais l'idée lui plaisait.

Un jeune comptable, du nom de Charley Simpson, travaillait dans les bureaux de Mr Clay. Il était ambitieux et bien décidé à devenir, en temps voulu, un millionnaire, un nabab, pareil à Mr Clay lui-même. Ce gros garçon rougeaud estimait qu'il était le seul ami d'Elishama. Il le patronnait avec jovialité et, depuis quelque temps, l'honorait de ses confidences.

Charley entretenait en ville une maîtresse, du nom de Virginie, et il racontait à son protégé que ladite maîtresse était une Française de très bonne famille. Mais son tempérament sentimental avait fait son malheur et, à présent, elle ne vivait plus que pour ses passions. Or, Virginie avait envie d'un châle français. Son amant ne demandait pas mieux que de lui offrir l'objet désiré, mais il craignait d'entrer dans une boutique, de peur d'y être vu par un indiscret, susceptible de rapporter le fait à son père en Angleterre.

Peut-être Elishama accepterait-il de porter un choix de châles jusque chez Virginie, et, pour le remercier de son obligeance, Charley le présenterait à la dame de ses pensées.

Les amants s'étaient querellés peu avant l'arrivée d'Elishama et de ses châles, mais la vue de ces derniers apaisa quelque peu Virginie. Elle drapa un châle, puis l'autre, autour de ses belles épaules, tout en s'admirant dans la glace, comme si les deux hommes n'avaient pas été présents. Elle alla même jusqu'à relever coquettement ses jupes au-dessus de ses genoux et à esquisser un pas de danse. Puis, tournant la tête vers son amant, elle lui dit par-dessus son épaule :

– Il est impossible que tu ne reconnaisses pas ma véritable vocation : je suis faite pour le théâtre et, si je parvenais à me procurer l'argent nécessaire au voyage, ce que j'aurais à faire de plus intelligent, ce serait de rentrer en France, où la comédie, la tragédie, le drame existent toujours et où les grandes actrices sont les idoles du pays.

Les mots de comédie, de tragédie, de drame ne faisaient pas partie du vocabulaire d'Elishama, mais il avait l'intuition d'une sorte de rapport entre ces termes et l'histoire de Mr Clay.

Le jour qui suivit sa dernière conversation avec son patron, il se rendit chez Virginie.

Elishama avait un trait de caractère, qui aurait surpris la plupart de ceux qui croyaient le connaître : il éprouvait une sympathie, ou plutôt une compassion innée et profonde pour toutes les femmes, et, en particulier, les jeunes femmes.

Il a été dit plus haut que tout en ne désirant nullement avoir un cheval à lui, il était capable d'estimer à un sou près le prix d'un cheval qu'on lui présentait. De même, tout en ne désirant pas les femmes, il les voyait avec les yeux des autres jeunes gens, et savait apprécier exactement leur valeur. Cependant, il jugeait qu'à ce point de vue ses semblables étaient myopes ou aveugles. En outre, le prix lui paraissait erroné et l'article lui-même sous-estimé.

Il ressentait mystérieusement la même sympathie pour les oiseaux, les quadrupèdes le laissaient indifférent et il n'aimait pas les chevaux, bien qu'il les connût fort bien. Mais il faisait un détour en se rendant au bureau pour passer devant les boutiques des Chinois, marchands d'oiseaux, et il contemplait longuement les cages échafaudées les unes sur les autres. Il connaissait chaque oiseau en particulier, et leur sort lui inspirait une grande tristesse.

Tandis qu'il se dirigeait vers la maison de Virginie, Elishama était pour ainsi dire doublement ému, car cette jeune femme, qu'il allait voir, lui rappelait un oiseau. Lorsque, en son for intérieur, il la comparait aux autres femmes de Canton, il la voyait semblable à un faisan doré ou à un paon dans une basse-cour.

Elle était plus grande que ses sœurs, d'un maintien plus noble, plus majestueux; son plumage plus brillant l'isolait des petites volailles domestiques.

Lors de leur première entrevue, Virginie paraissait déplumée, agitée comme un faisan doré au moment de la mue; mais elle n'en était pas moins un faisan doré.

VI. L'HÉROÏNE DE L'HISTOIRE

Virginie habitait une petite maison chinoise proprette et soignée. Un jardinet l'entourait et les fenêtres étaient pourvues de volets verts.

La vieille propriétaire chinoise, qui faisait le

ménage et la cuisine de sa locataire, était absente ce jour-là. Elishama trouva la porte ouverte et entra sans se faire annoncer. Assise devant sa table près de la fenêtre, Virginie faisait des réussites. Elle leva les yeux et dit :

– Comment, c'est vous? Que m'apportez-vous? Encore des châles?

– Non, mademoiselle Virginie, aujourd'hui, je ne vous apporte rien.

– Alors, si vous ne servez pas à autre chose, asseyez-vous et tenez-moi compagnie puisque vous êtes là.

Il obéit à l'invitation.

En dépit de son passé aventureux, Virginie restait jeune et fraîche. Il y avait en elle quelque chose de la fleur. Sa présence évoquait une belle rose trempant dans un vase. Elle portait un peignoir de mousseline à volants, mais ne s'était pas encore coiffée et son abondante chevelure brune retombait presque sur la ceinture rose qui lui serrait la taille. Les rayons dorés du soleil du soir filtraient à travers les volets jusque sur ses genoux.

Elle continua sa réussite, tout en posant des questions à Elishama :

– Etes-vous toujours chez ce vieux monstre?

Elishama répondit :

– Il est malade et ne peut sortir de chez lui.

– Est-ce vrai qu'il va mourir?

– Non, mademoiselle Virginie. Il est même assez bien pour faire des projets et, si vous me le permettez, je vais vous exposer l'un d'eux. Mais commençons par le commencement.

– Bon! Tant qu'il sera trop malade pour sortir de chez lui, je puis tolérer qu'on me parle de lui.

– Mr Clay, reprit Elishama, a entendu raconter une certaine histoire, il y a cinquante ans. Il se trouvait alors sur un bateau au large du cap. Aujourd'hui qu'il est malade et a perdu le sommeil, il repense à cette histoire. Il déteste les fictions, il déteste les prophéties, il n'aime que les faits.

« Voici qu'il s'est mis en tête de faire de cette histoire une réalité, un événement qui concernera des personnages réels. Je suis à son service depuis sept ans, qui donc trouverait-il pour exécuter ses desseins si ce n'était moi? Mr Clay est l'homme le plus riche de Canton, mademoiselle Virginie. Il faut qu'il obtienne ce qu'il désire. Mais écoutez l'histoire :

« Il y avait un marin dont le navire aborda un jour au port d'une grande ville. L'homme descendu à terre traversait une rue non loin du quai, lorsqu'une voiture attelée de deux superbes chevaux s'arrêta près de lui. Un vieux monsieur descendit de la voiture, aborda le marin et lui dit : « Vous êtes un marin de belle « mine, vous plairait-il de gagner cinq gui- « nées? » Le marin dit que oui et le vieux monsieur l'emmena dans sa maison, où il lui fit servir à boire et à manger.

« Et alors, mademoiselle Virginie, il lui dit : Je « suis un négociant immensément riche, vous « avez pu le constater vous-même, mais je suis « seul au monde. Ceux qui, à ma mort, hérite- « ront de ma fortune sont des imbéciles, qui ne « cessent de m'affliger et de me créer des « ennuis. J'avais pris une jeune épouse... « mais... »

Ici, Virginie interrompit le conteur :

– Je connais cette histoire, elle est arrivée à Singapour à un de mes amis, capitaine de la marine marchande. Vous l'aurait-il racontée pour que vous la connaissiez si bien?

– Non, mademoiselle Virginie; il ne me l'a pas

racontée, mais d'autres marins l'ont fait. C'est une histoire que l'on répète sur tous les bateaux, et tous les marins du monde la racontent; et elle serait restée propriété exclusive des navires et de leurs équipages si Mr Clay n'avait pas souffert d'insomnies. Maintenant il veut que l'histoire se passe à Canton, afin qu'un marin tout au moins puisse la raconter d'un bout à l'autre comme lui étant arrivée à lui-même.

– Il était destiné à mourir fou, ce méchant homme qui a tant de péchés sur la conscience! s'écria Virginie, et si aujourd'hui il a envie de jouer une comédie avec le diable, c'est une affaire entre eux deux.

– Bien sûr que c'est une comédie, j'avais oublié ce mot. Il y a des gens qui jouent dans des comédies et y gagnent de l'argent et qui deviennent l'idole des nations. Dans la comédie de Mr Clay il y a trois acteurs : il prendra lui-même le rôle du vieux monsieur, et il veut découvrir personnellement le jeune marin dans une rue voisine du port, où descendent les marins.

« Mais, puisqu'un capitaine de la marine marchande anglaise vous a raconté cette histoire, mademoiselle Virginie, vous savez aussi qu'il y est question en outre d'une belle jeune femme. Si la jeune femme veut entrer dans l'histoire et la terminer pour Mr Clay, mon patron lui versera cent guinées pour sa peine. »

Virginie se retourna d'un brusque mouvement vers Elishama, et faisant valoir ainsi toute la beauté de son buste, elle croisa ses bras sur sa poitrine et se mit à rire :

– Que veut dire tout ceci? demanda-t-elle.

– C'est une comédie, mademoiselle Virginie, un rêve ou une tragédie; c'est une histoire.

– Il a des idées singulières concernant la

comédie, votre vieux ! opina Virginie. Dans une comédie les acteurs simulent certains actes; ils se tuent les uns les autres, ou ils meurent, ou ils couchent avec leur maîtresse; mais, en réalité, ils n'accomplissent rien de tel. Votre patron ressemble à l'empereur Néron de Rome, qui pour s'amuser faisait dévorer ses sujets par des lions. Mais depuis lors, ces agissements n'ont pas été répétés, et beaucoup de temps a passé depuis l'époque où vivait Néron.

– Etait-il très riche, cet empereur Néron ? demanda Elishama.

– Oh ! Le monde entier lui appartenait.

– Et ses comédies étaient-elles bonnes ?

– Je suppose qu'il les appréciait. Mais trouverait-il quelqu'un pour y tenir un rôle de nos jours ?

– S'il possédait aujourd'hui le monde entier, il ne manquerait pas d'acteurs pour ses comédies, dit Elishama.

Virginie fixa le jeune homme de ses yeux brillants, et dit :

– Je crois que personne ne parviendra jamais à vous insulter vous-même, en y mettant tous ses efforts.

Elishama répondit après un court instant de réflexion :

– Je ne le crois pas non plus. Pourquoi leur permettrais-je de m'insulter ?

– Et si je vous mettais à la porte de chez moi, sortiriez-vous ?

– Oui, je sortirais; cette maison est la vôtre. Mais, après mon départ, vous penseriez aux raisons qui vous ont poussée à me mettre à la porte. Les gens se croient insultés quand on les met en face de leurs propres pensées. Mais pourquoi leurs propres pensées ne seraient-elles pas dignes d'être racontées à d'autres ?

Virginie ne le quittait pas du regard. A l'aube de ce même jour elle s'était révoltée contre son sort au point qu'elle avait failli courir au port pour s'y noyer. Elle s'était un peu calmée en faisant des réussites. Et voici que, brusquement, elle se rendait compte qu'elle était seule dans la maison avec Elishama et que celui-ci ne manifestait pas la moindre intention de répéter leur conversation à qui que ce soit. Dans ce cas-là, il n'y avait qu'à continuer l'entretien, et elle dit :

– Que vous donne Mr Clay pour venir me proposer ce marché? *Trente deniers en pièces d'argent, n'est-ce pas, c'est le prix*[1]*?* Quand Virginie agitait des pensées n'ayant pas trait à la réalité quotidienne, elle s'exprimait en français.

Elishama, qui parlait bien le français, ne reconnut pas la citation, mais se figura que Virginie se moquait de lui parce que Mr Clay payait aussi médiocrement ses services. Il répondit :

– Non. Mr Clay ne m'a pas payé pour cela. Je suis employé chez lui, et je n'ai le droit de travailler que pour lui. Mais vous, mademoiselle Virginie, vous pouvez faire ce qui vous plaît.

– Je le pense aussi, dit Virginie.

– Vous le pensez, car vous avez toujours eu le droit d'aller où bon vous semblait. Et maintenant, vous voilà ici, dans cette maison, mademoiselle Virginie.

Virginie rougit de colère, mais, en même temps, elle avait conscience, une fois de plus, et plus vivement que la fois précédente, qu'elle était seule avec Elishama dans cette maison, fermée au reste du monde.

1. En français dans le texte.

VII. VIRGINIE

Le père de Virginie était un négociant de Canton. Il avait fait graver dans une chevalière la devise de sa vie : « Pourquoi pas? » Pendant les vingt années qu'il passa en Chine, son cœur était resté en France, et les grands événements de sa patrie n'avaient cessé de l'émouvoir.

Virginie avait douze ans quand son père mourut. Elle était l'aînée de ses enfants. Toute petite déjà elle était belle comme un ange et son père s'amusait à l'emmener partout, la montrant fièrement à ses amis. Elle vit et apprit beaucoup de choses en quelques années. Elle possédait le talent d'imiter les autres, et, de retour à la maison, elle donnait d'amusantes petites représentations, reproduisant les scènes auxquelles elle avait assisté, et répétant les remarques et les chansons qu'elle avait entendues. Sa mère descendait d'une famille de marins anglais, et, bien qu'elle comprît fort bien qu'une femme doit s'accommoder d'un mari à l'esprit exubérant, elle reprochait parfois doucement au sien de trop gâter leur jolie petite fille. Lui, ne répondait que par un baiser, et disait en riant :

– *Ah! Virginie est fine; elle s'y entend en fait d'ironie*[1].

Ce bel homme, séduisant, avait beaucoup voyagé dans sa jeunesse. Il avait fait des affaires en Espagne avec une très grande dame qui lui avait accordé son amitié. Plus tard, il apprit en Chine que la fille de la noble Espagnole avait épousé l'empereur Napoléon III, et était à présent impératrice des Français. Il en éprouva

1. En français dans le texte.

autant de fierté et de joie que s'il avait été lui-même l'instigateur de ce mariage.

Grâce aux récits de son père, Virginie vécut pendant des années dans l'atmosphère de grandeur de la cour de France. Elle assistait aux bals donnés en l'honneur de majestés étrangères dans les salons resplendissants des Tuileries. Elle connaissait les cabales de cour, les amours romanesques, les duels, les valses de Strauss.

Après la mort de son père vinrent la pauvreté et les épreuves. Virginie perdit la grâce angélique de son enfance; elle grandit trop; mais, en secret, elle venait se consoler dans le monde glorieux du passé. Vêtue d'une robe étincelante de diamants, elle montait encore les escaliers de marbre brillamment éclairés. Elle dansait avec des princes et des ducs, et ceux qui partageaient son existence monotone et solitaire dans des chambres sordides, s'étonnaient du courage de la jeune fille. Pourtant les Tuileries avaient fini par perdre leur éclat et disparaissaient lentement de son horizon.

Le père avait essayé d'inculquer à sa petite fille des principes de morale, et il les illustrait de menues anecdotes sur la cour de France. L'une de ces anecdotes resta profondément gravée dans l'esprit de Virginie.

La charmante Mlle de Montijo avait informé l'empereur Napoléon III que le chemin menant à sa chambre à coucher passait par Notre-Dame. Virginie était familiarisée avec la cathédrale Notre-Dame, dont une belle reproduction ornait la chambre de ses parents. Souvent elle se représentait une Mlle Virginie couverte de dentelles dans une vaste chambre à coucher de proportions dignes de celles de l'église, et cette vision lui réchauffait et lui épanouissait le cœur.

Hélas, le chemin qui menait à sa propre chambre à coucher n'avait nullement passé par Notre-Dame; il n'avait même pas passé par la petite église française de Canton. Depuis quelque temps, il passait en faisant beaucoup de détours par les bureaux et les maisons de commerce de la ville, et Virginie méprisait les hommes qui venaient chez elle par ce chemin-là.

Au cours de sa carrière décevante, elle avait cependant connu un triomphe, mais à l'exception d'elle-même personne n'en savait rien. Elle avait eu pour amant un capitaine de la marine marchande anglaise. Il la persuada de s'enfuir avec lui au Japon qui venait de s'ouvrir au commerce étranger. Pendant la première nuit que le couple passa dans le petit hôtel japonais, il y eut un tremblement de terre. Toutes les maisons s'écroulèrent, et la catastrophe fit plus de cent victimes. Cette nuit-là, Virginie fit non seulement l'expérience de la terreur, mais elle vécut le plus grand moment de sa vie. Le fracas du tonnerre était dirigé contre elle personnellement; c'était la perte de son innocence qui faisait trembler la terre et les énormes vagues, en se brisant sur la grève, gémissaient sur la chute de Virginie.

Seuls les êtres légers et frivoles, y compris son amant, pouvaient ignorer la loi de la cause et de l'effet, et restaient incapables de mesurer l'étendue de sa ruine.

Virginie possédait un grand fonds de bonté. Dans l'éclat actuel de sa situation, maintenant qu'elle était sortie définitivement des Tuileries, elle eût été prête à aimer davantage ses amants s'ils avaient consenti à se laisser aimer par Virginie comme de pauvres gens ayant besoin de sympathie. Virginie aurait pu s'accommoder de sa liaison actuelle avec l'ami d'Elishama pourvu qu'il voulût bien voir dans cette liaison ce qu'elle y voyait elle-même, c'est-à-dire l'effort de deux solitaires pour tirer le meilleur parti d'une triste situation d'une façon toute bourgeoise et modeste, mais avec une bienveillance réciproque.

Cependant Charley était un jeune ambitieux, qui aimait à se voir lui-même sous l'aspect d'un homme du monde, et à voir en sa maîtresse une demi-mondaine. Or Virginie ne connaissait pas la véritable signification de ce terme et souffrait de la vanité de Charley, motif de la plupart de leurs querelles au cours de leur vie commune.

Les bras croisés sur sa poitrine, et les yeux brillants à demi fermés, pareille à un chat qui épie une souris, elle écoutait parler Elishama. S'il avait eu en cet instant envie de s'enfuir, elle ne l'aurait pas retenu.

Mais le jeune homme reprit :

– Mr Clay est disposé à vous verser cent guinées si vous consentez à venir chez lui la nuit qu'il choisira.

– Chez lui! s'écria Virginie, effarée.

– Oui, chez lui; et cette offre, mademoiselle Virginie...

Virginie se redressa avec une telle violence qu'elle renversa sa chaise, et elle frappa Elishama au visage avec toute sa force.

– Jésus! Chez lui! Savez-vous dans quelle maison il habite? C'est la maison de mon père. J'ai joué dans cette maison quand j'étais petite.

Virginie portait une bague au doigt, et le sang coula sur la joue d'Elishama. Il l'essuya de la main, et regarda cette main rougie. A la vue du sang, Virginie fut prise d'une fureur indicible; elle se mit à courir dans la pièce; sa robe blanche balayait le plancher; puis elle se laissa tomber sur une chaise, se releva, s'assit sur une autre, se releva encore...

VIII. VIRGINIE ET ELISHAMA

Enfin elle parla.

– Cette maison, dit-elle, était ce qui me restait du temps où j'étais une petite fille riche, jolie et innocente. Chaque fois que je passais devant, je rêvais d'y rentrer un jour.

Elle poussa un long soupir et des taches marbrèrent son visage.

– Vous allez donc y rentrer maintenant, mademoiselle Virginie, car la jeune femme de l'histoire de Mr Clay est riche, jolie et innocente.

Virginie le regardait sans paraître le voir; elle aurait regardé une poupée de la même façon.

– Mon Dieu! dit-elle, Mon Dieu! Virginie est fine, *elle s'y comprend en ironie*[1].

Elle détourna les yeux, puis, s'adressant cette fois à Elishama, elle reprit :

– Vous allez tout savoir. Je tiens de mon père ce que je vais vous raconter.

Pendant quelques secondes, elle se boucha les oreilles avec ses doigts. Quand ses mains retombèrent, elle cria :

– Vous saurez tout, vous saurez tout. Mon père et moi parlions dans *cette* maison, de l'avenir : un grand et noble avenir. L'impératrice Eugénie ne portait qu'une seule fois ses souliers de satin blanc, puis elle en faisait

1. Copie textuelle d'une phrase en français dans le texte.

cadeau à l'école des Bonnes Sœurs pour les petites orphelines, le jour de leur première communion. Je m'imaginais que je ferais la même chose plus tard, car papa était fier de mes petits pieds.

Virginie releva un peu sa robe, et contempla ses pieds chaussés d'une vieille paire de pantoufles.

– L'impératrice des Français avait fait une carrière brillante et sans autre exemple, moi je ferais comme elle. Le chemin menant à la chambre à coucher de l'impératrice avait passé par la cathédrale Notre-Dame.

Et la jeune femme conclut, dans un murmure : *Virginie s'y comprend en ironie.*

Il y eut un long silence.

– Ecoutez, mademoiselle Virginie, dit enfin Elishama, dans les châles...

– Les châles! répéta Virginie, stupéfaite.

– Oui, les châles que je vous ai fait choisir, poursuivit Elishama, portaient un dessin. Vous avez dit à votre ami, Mr Simpson, que vous préfériez certains modèles aux autres, mais sur tous les châles, il y avait un dessin.

Virginie avait du goût; elle était sensible à la beauté d'un dessin, et l'une des raisons pour lesquelles elle méprisait les Anglais, c'est qu'à ses yeux ils ne cherchaient pas à façonner leur vie d'après un beau modèle. Elle fronça les sourcils, mais sans interrompre Elishama.

– Seulement, fit-il, les lignes du motif vont dans un sens différent que le sens attendu; on les voit comme dans un miroir.

– Comme dans un miroir, répéta lentement Virginie.

– Oui! Et pourtant le dessin reste un dessin.

Cette fois, elle le regarda sans rien dire.

– Vous m'avez raconté, reprit Elishama, que

cet empereur de Rome possédait le monde entier. Mr Clay, lui, possède Canton, et tous les habitants de Canton (tous, sauf moi ! ajouta-t-il in petto). Mr Clay, et d'autres négociants riches comme lui, possèdent cette ville. Observez les rues : vous y verrez des centaines de gens se dirigeant vers le nord, le sud, l'est, l'ouest. Combien sont-ils parmi eux qui ne songeraient même pas à circuler dans les rues, si d'autres gens ne les y obligeaient pas ? Et ces gens, qui les y oblige ? Ce sont Mr Clay et ses pareils. A présent, il vous ordonne de venir chez lui, et vous lui obéirez !

– Non ! dit Virginie.

Elishama attendit un instant; mais, comme elle n'ajouta rien à ce non, ce fut le jeune homme qui parla :

– Ce qui importe, ce sont les ordres de Mr Clay. Vous m'avez frappé tout à l'heure et vous tremblez à présent à cause de ces ordres. Votre émotion est de bien peu d'importance, en comparaison de ce que vous allez faire ou ne pas faire.

– C'est vous qui me dites d'y aller, riposta Virginie.

– Oui, parce que Mr Clay m'a ordonné d'agir comme je le fais.

Après un nouvel arrêt de la conversation, Elishama dit encore :

– Faites retomber vos cheveux sur votre visage, mademoiselle Virginie. S'il faut rester dans l'obscurité, il vaut mieux que ce soit dans ses propres ténèbres. Je puis attendre autant que vous voudrez.

Virginie, décidée à refuser les conseils d'Elishama, secoua la tête avec violence. Ses longs cheveux, dont le ruban était tombé pendant qu'elle allait et venait dans la chambre, formaient autour d'elle un nuage sombre, et lorsqu'elle baissa la tête, toute sa chevelure retomba en avant, cachant son visage. Elle resta immobile dans cette pénombre pendant un moment.

– Le chemin dont vous parliez, dit Elishama, et qui passait par la cathédrale de Notre-Dame, se trouve dans ce motif, mais en sens inverse.

Derrière son voile, Virginie murmura :

– En sens inverse ?

– Oui, en sens inverse. Dans ce motif, le chemin va du côté opposé et il ne s'arrête pas.

L'étrange douceur de la voix du jeune homme émut Virginie, bien qu'elle s'en défendît.

– Mademoiselle Virginie, vous serez vous-même l'artisan de votre vie, tout comme l'impératrice des Français, sauf que votre vie va du côté opposé au sien. Et pourquoi pas, mademoiselle Virginie ?

Virginie ne répondit rien tout d'abord, puis elle dit :

– Avez-vous connu mon père ?

– Non, je ne l'ai pas connu.

– Alors, comment savez-vous que le motif du dessin dont vous parlez se trouve dans ma famille et que, dans ma famille, on qualifie ce motif de tradition ?

Elishama se tut parce qu'il ne comprenait pas le sens du mot : tradition. Mais elle poursuivit lentement :

– *Et pourquoi pas*[1] ?

Elle rejeta ses cheveux en arrière, leva la tête et s'assit derrière la table comme une marchande à son comptoir. Elishama lui trouvait le visage plus large et plus plat qu'auparavant,

1. En français dans le texte.

comme si un rouleau avait passé dessus, et elle s'exprima ainsi :

– Dites de ma part à Mr Clay que je ne viendrai pas pour le prix qu'il m'a offert. Je viendrai pour trois cents guinées. C'est un motif du dessin, si vous voulez, ou, pour employer des termes que Mr Clay comprendra, c'est le règlement d'une ancienne dette.

– Est-ce là votre dernier mot, mademoiselle Virginie ?

– C'est mon dernier mot.

– Votre tout dernier mot ?

– Oui.

– S'il en est ainsi, je vais vous remettre les trois cents guinées.

Il ouvrit son portefeuille, et déposa les billets de banque sur la table.

– Voulez-vous un reçu ? demanda-t-elle.

– Non.

Elishama se disait que l'affaire serait moins risquée sans reçu. Virginie fit tomber pêle-mêle les billets de banque et les cartes à jouer dans le tiroir de la table. Elle ne ferait plus de réussite ce jour-là.

– Comment savez-vous, dit-elle en regardant Elishama bien en face, que je ne mettrai pas le feu à la maison avant de la quitter le lendemain matin et que votre maître ne sera pas brûlé ?

Elishama, qui avait été sur le point de sortir, s'arrêta :

– Je vais vous dire une chose avant de m'en aller : cette histoire sera la fin de Mr Clay.

– Croyez-vous qu'il prémédite de mourir ?

– Non. D'ailleurs, je n'en sais rien. Mais, d'une façon ou d'une autre, cette histoire sera sa mort. Personne au monde, fût-ce l'homme le plus riche, ne peut faire une réalité d'une histoire inventée par d'autres.

– Comment le savez-vous ?

Il attendit un moment avant de répondre :

– Si vous additionnez une colonne de chiffres, dit-il posément comme pour lui faire bien comprendre les choses, vous commencez à droite, par les unités, et avancez à gauche vers les dizaines, les centaines, les milles et les dix mille. Mais si quelqu'un se met en tête d'additionner les nombres de gauche à droite, qu'arrivera-t-il ? Il s'apercevra que son total est faux et que ses livres ne valent plus rien. Le total de Mr Clay s'avérera faux et ses livres ne vaudront plus rien... Que fera Mr Clay sans ses livres ? L'affaire est mauvaise pour moi aussi, mademoiselle Virginie. J'ai été au service de Mr Clay pendant sept ans et je vais perdre ma situation, mais il n'y a rien à faire.

Pour la première fois de sa vie, Elishama parlait confidentiellement de son patron à un tiers.

– Où allez-vous maintenant ? dit Virginie.

– Moi ? fit-il, surpris que l'on pût s'intéresser à ses faits et gestes. Je rentre chez moi.

Virginie le considéra avec une sorte de crainte superstitieuse.

– Je me demande où est votre chez vous et à quoi il peut bien ressembler. Aviez-vous un foyer dans votre enfance ?

– Oh, non !

– Avez-vous des frères et sœurs ?

– Non.

– Je le pensais bien, s'écria-t-elle, car je sais maintenant qui vous êtes. Quand vous êtes entré, je pensais que vous étiez une des pauvres créatures qui vivent dans les entrepôts de Mr Clay. *Mais toi, tu es le Juif errant*[1].

1. En français dans le texte.

Pour toute réponse, Elishama lui adressa un bref regard de ses yeux voilés, et s'en alla.

IX. LE HÉROS DE L'HISTOIRE

La lune brilla au-dessus de la ville de Canton et sur la mer de Chine, pendant la nuit destinée, par Mr Clay, à la matérialisation de son histoire. C'était une nuit d'avril. L'air était doux et tiède et déjà d'innombrables chauves-souris volaient sans bruit de-ci de-là dans l'espace. Les lauriers du jardin de Mr Clay semblaient presque décolorés au clair de lune. Les roues de la victoria faisaient à peine grincer le gravier de l'avenue.

Au prix de grands efforts, Mr Clay avait été habillé et installé dans sa voiture. Maintenant, il y était gravement assis, tout droit contre le capitonnage de satin, en pardessus noir et chapeau haut de forme londonien.

En face de lui, Elishama faisait moins brillante figure sur son siège étroit. Il ne quittait pas des yeux le visage de son patron, ce mourant, qui s'en allait ainsi pour prouver son omnipotence, et pour accomplir des actes irréalisables.

La voiture dépassait les quartiers riches de Canton, leurs villas et leurs jardins, et s'engageait dans les rues voisines du port, rues populeuses, bruyantes et où flottaient toutes sortes d'odeurs. A cette heure-là, personne ne se pressait plus.

Les passants circulaient sans hâte, ou bien s'arrêtaient pour bavarder les uns avec les autres. La victoria ne pouvait avancer que lentement.

Ici et là, des lanternes de couleur se balançaient devant des maisons. Elles brillaient comme des bijoux dans la grisaille du soir. De son siège, Mr Clay observait attentivement la foule. Jamais encore, il n'avait regardé de près les visages de ceux qu'il croisait dans la rue. Cette expérience était toute nouvelle pour lui et elle ne se répéterait pas.

Un marin solitaire vint à passer.

Mr Clay ordonna à Elishama de faire arrêter la voiture et d'accoster l'inconnu. L'employé descendit et, sous les yeux du maître, s'adressa au marin :

– Bonsoir! dit-il. Mon maître, que vous voyez dans cette voiture, me prie de vous dire que vous êtes un marin de belle mine. Il vous demande s'il vous plairait de gagner cinq guinées cette nuit?

– Quoi? Que dites-vous? fit le marin.

Elishama répéta la question, et le marin fit un pas du côté de la victoria pour mieux voir le vieillard qui s'y trouvait. Puis, se tournant vers Elishama :

– Répétez ce que vous m'avez dit, fit-il.

Elishama prononça donc son petit discours pour la troisième fois. Le marin l'écoutait bouche bée. Mais, tout à coup, il tourna le dos à la victoria et s'enfuit à toute allure. Au coin de la rue, il s'engagea dans une venelle transversale et disparut.

Sur un signe de Mr Clay, Elishama remonta dans la voiture et ordonna au cocher de se remettre en route.

Un peu plus loin, un garçon trapu, qui avait l'apparence d'un homme de mer, s'apprêtait à traverser la rue. Il dut s'arrêter devant la victoria. Il regarda Mr Clay. Mr Clay le regarda.

Pour la seconde fois, Elishama descendit et

refit à l'autre la proposition qu'il avait faite au premier matelot.

Le jeune homme qu'il abordait sortait visiblement d'un bar et n'était pas trop solide sur ses jambes. Lui aussi obligea Elishama à répéter sa question, mais n'attendit pas la fin de la phrase pour partir d'un immense éclat de rire, en se tenant les côtes :

– Par exemple! s'écria-t-il. Voilà l'aventure qui est arrivée à un marin de belle mine lorsqu'il rendit visite aux terriens. Pas besoin d'en dire davantage. Je vous accompagne, mon vieux. Par Jésus-Christ, vous avez trouvé l'homme qu'il vous faut!

Il se hissa dans la voiture à côté de Mr Clay, considéra Elishama et le cocher avec des yeux ronds et caressa de la main le capitonnage de satin :

– Tout est en soie! fit-il, riant toujours. Tout est en soie, et doux et moelleux. Qu'est-ce que je vais voir encore?

Tandis que la voiture roulait sur les pavés, il se mit à siffler et il ôta son béret pour se rafraîchir la tête. Puis, soudain, il appuya ses deux mains sur sa figure et resta dans cette position pendant un instant. Après quoi, sans dire un mot, il sauta à terre, prit ses jambes à son cou et disparut dans une rue de traverse, comme le premier matelot.

Mr Clay ordonna au cocher de revenir sur ses pas, dans la même rue, puis de faire volte-face en longeant très lentement la chaussée. Mais il n'arrêta plus son équipage et n'ajouta rien à ses ordres. Elishama, qui évitait de regarder le vieillard, se demandait s'ils allaient circuler ainsi toute la nuit.

Ils avaient déjà abandonné les rues étroites voisines du port et enfilaient l'avenue qui menait à la maison de Mr Clay, quand ils virent trois jeunes marins se diriger vers eux, bras dessus, bras dessous. Comme la voiture les rejoignait, deux d'entre eux lâchèrent le troisième et se sauvèrent en courant, laissant leur camarade en face de Mr Clay et d'Elishama.

Mr Clay fit arrêter, mais, d'un geste de la main, il empêcha Elishama de descendre de la victoria :

– J'irai moi-même cette fois-ci, dit-il.

Ce ne fut que très lentement, très laborieusement, qu'il se trouva dans la rue au bras de son secrétaire. Il fit un pas vers le marin, s'arrêta devant lui et, raide comme un poteau, pointa sa canne vers le jeune garçon. Puis, d'une voix rauque et éraillée, mais qui exprimait une implacable résolution :

– Bonsoir ! dit-il. Vous êtes un marin de belle mine. Vous plairait-il de gagner cinq guinées cette nuit ?

Le jeune marin était grand, large d'épaules et de membres solides avec des mains énormes. Ses cheveux extrêmement blonds étaient si épais qu'au premier abord Elishama les confondit avec un bonnet de fourrure.

L'autre ne parla pas, ne fit pas un geste, mais, les yeux vagues, il considérait tranquillement Mr Clay. Dans sa main droite, il portait un assez gros ballot, qu'il prit dans sa main gauche pour se frotter la cuisse de son poing resté libre, comme s'il eût voulu se préparer à assener un coup. Mais il n'en fit rien et, tendant la main, il saisit celle de Mr Clay.

Le vieillard avala sa salive et réitéra sa proposition :

– Vous, qui êtes un marin de belle mine, avez-vous envie de gagner cinq guinées cette nuit ?

Le garçon parut réfléchir :

– Oui, dit-il, j'ai envie de gagner cinq guinées; j'étais tout juste en train de me demander comment je pourrais gagner cinq guinées. Je vais avec vous, Monsieur.

Il parlait lentement, s'arrêtant entre chaque phrase et avec un curieux accent.

– En ce cas, dit Mr Clay, montez dans ma voiture et je vous en dirai davantage à notre arrivée chez moi.

Le marin déposa son ballot au fond de la victoria, mais n'y monta pas lui-même :

– Non ! dit-il, votre équipage est trop beau pour moi. Mes habits sont sales et tachés par le goudron. Je courrai à côté de la voiture et j'irai certainement aussi vite que vous.

Plaçant sa grande main sur le garde-boue, il prit le pas de course dès que les chevaux se mirent en branle, et il ne se laissa pas distancer d'un mètre. Quand l'équipage s'immobilisa devant le portail de Mr Clay, le jeune garçon ne paraissait même pas essoufflé. Les domestiques de Mr Clay se précipitèrent pour aider leur maître à descendre de voiture et le débarrasser de son pardessus. Le maître d'hôtel, un Chinois gros et chauve, vêtu de soie verte, apparut dans la véranda, tenant une lanterne au bout d'une longue perche. A la lumière dorée de la lanterne, Elishama jeta un coup d'œil rapide sur l'hôte et son invité. Mr Clay avait singulièrement retrouvé vie et entrain. On aurait dit que le jeune coureur, qui ne s'était pas laissé distancer par la voiture, avait, du même coup, fait couler plus librement le sang du vieillard. Les joues pâles de Mr Clay avaient même pris une délicate teinte rosée, comparable à celle d'un visage fardé de jeune femme. Le vieillard était satisfait de la proie qu'il ramenait du port de Canton.

Selon toute apparence, il n'aurait pu en trouver d'autre de cette qualité.

Le marin était presque un enfant encore. Son large visage tanné s'éclairait de deux yeux bleu clair. Son extrême maigreur faisait apparaître ses os partout où ses vêtements ne les couvraient pas et la gravité de son jeune visage lui prêtait une expression presque inquiétante. Les gens qui reviennent de prison ont cette expression-là. Il était pauvrement vêtu d'une chemise bleue, d'un pantalon de treillis et ses pieds étaient nus dans ses vieilles chaussures.

Il reprit son ballot et suivit lentement le maître d'hôtel, porteur de la lanterne.

X. LE SOUPER DE L'HISTOIRE

Des chandeliers d'argent massif décoraient la table et la lumière des bougies se reflétait dans les glaces aux cadres dorés suspendues aux murs, de sorte que toute la vaste pièce scintillait de centaines de petites flammes. La table était mise, les plats servis et les bouteilles débouchées.

Elishama, qui était entré le dernier et s'était assis sur une chaise à l'autre bout de la salle, voyait les dîneurs et les domestiques, silencieux et affairés, comme on voit à grande distance les personnages d'un tableau.

On avait installé Mr Clay près de la table dans son fauteuil garni de coussins, il y restait très droit comme dans la voiture. Mais le jeune marin promenait un regard hésitant autour de lui. Il semblait avoir peur de toucher à quoi que ce soit dans la pièce et il fallut l'inviter à s'asseoir à trois reprises avant qu'il y consentît.

D'un geste de la main, le vieillard ordonnait au maître d'hôtel de verser du vin à son invité; il le regardait boire et, pendant tout le repas, veilla à faire remplir son verre. Pour lui tenir compagnie, il alla même, contre son habitude, jusqu'à absorber une gorgée de vin.

Le premier verre eut un effet rapide et violent sur le jeune garçon : en reposant son verre vide, il rougit brusquement si fort que ses yeux semblèrent fondre en eau à la chaleur de ses joues brûlantes. Dans son fauteuil, Mr Clay poussa un profond soupir et toussa par deux fois. Quand il parla, ce fut d'abord d'une voix basse et un peu enrouée; mais bientôt, il retrouva son timbre normal; pourtant les paroles ne montaient que lentement à ses lèvres.

– A présent, mon jeune ami, dit-il, je vais vous expliquer pourquoi je vous ai invité à venir chez moi, vous, un pauvre matelot rencontré dans une rue près du port. Peu de gens ont été autorisés à entrer dans cette maison, même parmi les riches négociants de Canton. Ecoutez-moi bien, et vous allez tout savoir; car j'ai bien des choses à vous dire.

Il s'arrêta un instant pour reprendre haleine, puis continua en ces termes :

– Je suis un homme riche, le plus riche de Canton. Une partie des richesses que j'ai accumulées au cours d'une longue vie se trouve ici, dans ma demeure. Une plus grande partie est dans mes entrepôts; une plus grande encore sur les rivières et sur la mer. En Chine, mon nom vaut plus d'argent que vous ne pouvez l'imaginer. Lorsqu'on prononce ce nom en Angleterre ou en Chine, on évoque un million de livres sterling.

Mr Clay refit une courte pause. Elishama pensait à part soi que jusqu'à présent son patron n'avait rappelé que des faits depuis longtemps enregistrés dans sa mémoire, et il se demandait comment ferait le vieillard pour passer du monde réel dans le monde imaginaire. Car Mr Clay, qui, au cours de sa longue vie, n'avait entendu raconter qu'une seule histoire et n'avait jamais raconté d'histoires lui-même, n'avait pas une seule fois usé de feintes ou de dissimulations. Cependant, quand il reprit son récit, le secrétaire comprit qu'il ruminait dans sa tête bien des idées qu'il cherchait à mettre au clair. Au fond de lui-même subsistaient des perceptions, des émotions dont il n'avait jamais parlé à âme qui vive et il eût été incapable d'en parler à qui que ce soit, si ce n'est à ce garçon, pieds nus, dont il ignorait le nom.

Elishama commençait à comprendre la valeur de ce que l'on appelle une comédie, seul moyen, peut-être, pour un être humain de dirc la vérité.

– Un million de livres, répéta Mr Clay. Ce million de livres, c'est moi, moi-même. Il représente mes jours et mes années : c'est mon cerveau, mon cœur, ma vie. Je suis seul dans cette maison avec mon million de livres. J'ai été seul avec lui depuis très longtemps et j'ai été heureux qu'il en soit ainsi. Car les êtres humains que j'ai rencontrés, ou auxquels j'ai eu affaire, je ne les ai pas aimés, mais méprisés. Je n'ai permis qu'à un très petit nombre d'entre eux de me serrer la main. Je n'ai permis à aucun de toucher à mon argent.

Et il ajouta d'un air pensif :

– Jamais, comme tant d'autres riches marchands, je n'ai craint que ma fortune ne durât pas autant que moi, car j'ai toujours su comment la conserver, et comment la faire se multiplier.

« Mais, tout récemment, j'ai compris que je ne durerais pas aussi longtemps que ma fortune. Le moment viendra, il approche, où nous devrons nous séparer, elle et moi. Une des parties disparaîtra, l'autre continuera d'exister : où alors, et avec qui vivra-t-elle ? Faut-il que je la laisse tomber dans des mains dont je l'ai préservée jusqu'à présent ? Faut-il que ces mains, avides et répugnantes, la manient et la tripotent ? Plutôt leur abandonner mon corps. Quand j'y pense la nuit, je ne dors pas.

« Je ne me suis pas préoccupé de chercher à qui je pourrais laisser mes biens, car je sais qu'il est impossible de trouver en ce monde des mains dignes de les recevoir. Mais, en ces derniers temps, il m'est venu à l'idée que j'aurais plaisir sans doute à les laisser dans une main qui me devra d'exister. »

Il répéta lentement : « Qui me devra d'exister..., qui me devra d'exister et que j'aurai appelée à la vie, de même que j'ai engendré ma fortune, mon million de livres.

« Car, ce n'était pas mon corps qui souffrait dans les plantations de thé, sous le brouillard matinal, ou à la chaleur cuisante de midi; ce n'était pas ma main que brûlaient les plaques de fer rougies, sur lesquelles on sèche les feuilles de thé; ce n'étaient pas mes doigts qui s'écorchaient en embraquant les bras de vergues du voilier pour lui donner plus de vitesse. Les coolies affamés des plantations de thé, le matelot brisé de fatigue pendant son quart, ne surent jamais qu'ils contribuaient à l'acquisition de ce million de livres. Pour eux existaient seulement les minutes de souffrance, les doigts endoloris, les rafales de grêle qui leur fouettaient le visage et les misérables pièces de cuivre de leurs gages.

« C'était dans ma tête et par ma volonté que cette foule de petites gens sans importance coopéraient à la production d'une seule chose : un million de livres.

« Ne l'ai-je pas légalement engendrée, ma fortune? De même, en combinant les événements, en les obligeant à une coopération qui correspondît à ma volonté, je puis, légalement, procréer la main à laquelle je remettrai, avec un certain plaisir, ma fortune, tout ce qui restera de moi. »

Mr Clay se tut pendant assez longtemps. Puis il enfonça sa vieille main parcheminée dans sa poche, la retira et examina son contenu :

– Avez-vous jamais vu de l'or? demanda-t-il au marin.

– Non, répondit l'autre. J'en ai entendu parler par des capitaines et des subrécargues, qui en ont vu; mais je n'en ai jamais vu moi-même.

– Tendez votre main, dit Mr Clay.

L'autre tendit sa grande main : sur le revers un tatouage dessinait une croix, un cœur et une ancre.

– Voilà une pièce de cinq guinées, dit Mr Clay. Les cinq guinées que vous allez gagner, c'est de l'or.

La pièce reposait dans la paume du marin et, pendant un instant, les deux hommes la considérèrent attentivement. Puis, détournant le regard, Mr Clay but un peu de vin et dit :

– Je suis moi-même dur, je suis sec; j'ai toujours été dur et sec et je ne voudrais pas avoir été autre que je ne suis. Tout ce que le corps sécrète me dégoûte. Je ne puis souffrir la vue du sang, je ne bois pas de lait, la sueur me répugne, les larmes m'écœurent. Ces sucs dissolvent les os et les os se dissolvent également dans les relations entre les êtres humains qu'on appelle camaraderie, amitié ou amour. Je me suis séparé d'un associé parce que je ne voulais pas qu'il devienne mon ami et dissolve mes os. Mais, mon jeune matelot, l'or est solide; il est dur, il ne se dissout pas. L'or! répéta Mr Clay, et l'ombre d'un sourire apparut sur son visage. L'or, c'est la solvabilité.

« Vous, vous débordez des sucs de la vie; vous avez du sang et j'imagine que vous avez des larmes. Vous aspirez à posséder les biens qui dissolvent, l'amitié, la camaraderie, l'amour. Cette nuit, vous avez vu de l'or pour la première fois.

« Je puis me servir de vous. Cette nuit, seuls les minutes, le plaisir physique et les cinq guinées, dans votre poche, existeront réellement pour vous. Vous ne vous rendrez pas compte que vous contribuerez à l'exécution d'une de mes œuvres les plus importantes. Quelle ne sera pas la stupéfaction de ma famille d'Angleterre, qui s'est réjouie jadis d'être débarrassée de moi, mais qui depuis vingt ans a été à l'affût de mon héritage de Chine! Puisse-t-elle dormir en paix, en attendant le coup de théâtre! »

Le marin mit la pièce d'or dans sa poche. Il avait le teint échauffé d'avoir tant mangé et bu. A le voir si grand et solidement charpenté, avec ses cheveux ébouriffés et ses yeux brillants, on aurait dit un jeune ours, vorace et avide, sortant de sa tanière hivernale. il s'écria :

– Ne dites plus un mot, patron! Je sais ce que vous allez me raconter. Sur le bateau, j'ai entendu, mot pour mot, la même histoire. Elle est arrivée à un marin, qui était descendu à terre. Et vous, mon vieux monsieur, vous avez de la chance cette nuit, si vous cherchez un jeune matelot hardi, entreprenant, vous avez de la chance! Vous n'en trouverez pas qui me vaille sur aucun bateau. Qui d'autre serait resté onze heures d'affilée à la pompe pendant la tempête, au large des Lofoten?

« C'est dur pour vous d'être si vieux et si sec. Quant à moi, je sais parfaitement ce que j'ai à faire. »

Une fois de plus, le jeune garçon rougit brusquement; il devint écarlate et, s'arrêtant net dans ses fanfaronnades, il se tut. Quand il rompit le silence, ce fut pour dire :

– Je n'ai pas l'habitude de parler à de vieilles gens riches. A vous dire la vérité, patron, je n'ai même pas l'habitude de parler à qui que ce soit. Il y a quinze jours, quand la goélette *Barracuda* m'a trouvé et m'a pris à son bord, je n'avais pas dit un mot de toute une année. A la mi-mars de l'année dernière, mon propre bateau, le trois-mâts *Amelia Scott,* avait sombré pendant le gros temps et, seul, de tout l'équipage, j'ai été jeté sur le rivage d'un îlot inhabité. Il y a trois semaines encore, je me promenais sur la grève de mon île, j'y entendais bien des sons, mais pas une voix humaine. Parfois, je chantais une chanson. On peut chanter une chanson pour soi tout seul, n'est-ce pas? Mais je n'ai jamais parlé à personne.

XI. LE BATEAU

Mr Clay vit avec plaisir que son entreprise prenait le caractère d'une aventure, tant chez son invité que dans son histoire. Il considéra le jeune garçon de ses yeux mi-clos et, pour un instant, ne détourna pas de lui ses regards qui exprimaient l'approbation, presque la tendresse.

– Vraiment, dit-il, vous avez eu faim; vous avez couché sur le sol nu; vous avez été vêtu de haillons pendant une année...

Après un coup d'œil circulaire dans la salle richement meublée, il ajouta :

– Tout ceci doit être pour vous un grand changement ?

Le marin regarda également autour de lui :

– C'est vrai, dit-il, cette maison est bien différente de mon île.

Quand il se retourna vers le vieillard, il passa sa main dans ses cheveux :

– C'est bien pour cela, fit-il, que mes cheveux sont si longs. J'avais l'intention de les faire couper ce soir. Les deux autres m'avaient promis de m'emmener chez un coiffeur, mais ils ont changé d'idée et, au lieu d'aller chez le coiffeur, ils me conduisaient chez les filles. Ç'a été une chance pour moi de n'y avoir pas été, sinon je ne vous aurais pas rencontré. Je reprendrai bientôt l'habitude de parler aux gens. J'ai su parler autrefois et je ne suis pas un aussi grand imbécile que j'en ai l'air.

– Que ce doit donc être agréable, murmura Mr Clay, comme se parlant à lui-même, que ce doit donc être agréable de vivre tout seul sur une île, sans que personne vienne vous déranger.

– C'était agréable d'une certaine manière, opina le jeune matelot d'un air pensif. Il y avait des œufs d'oiseaux sur la grève et je pêchais aussi. J'avais mon couteau, un bon couteau, et je faisais une entaille dans l'écorce d'un grand arbre chaque fois que je voyais la nouvelle lune.

J'avais fait neuf entailles, et puis je les ai oubliées, et il y a eu deux ou trois nouvelles lunes de plus avant l'arrivée du *Barracuda.*

– Vous êtes jeune, dit Mr Clay, et je pense que vous avez été bien heureux quand le navire vous a ramené chez d'autres gens.

– Oui, j'étais content, d'une part; mais je m'étais habitué à mon île et j'avais fini par croire que j'y resterais toute ma vie. Je vous ai dit qu'il y avait des bruits sur cette île; j'entendais celui des vagues pendant la nuit entière et, quand le vent se levait, je l'écoutais gronder autour de moi de tous côtés. J'entendais les oiseaux de mer qui se réveillaient le matin. Une fois, il a plu pendant quinze jours et, une autre fois, la pluie a duré un mois complet. Chaque fois, la pluie s'accompagnait de gros orages. La pluie tombait du ciel comme un chant et le tonnerre rappelait une voix humaine, celle de mon vieux capitaine. J'en ai été étonné; je n'avais pas entendu une seule voix depuis plusieurs mois.

– Les nuits vous paraissent-elles longues?

– Elles étaient aussi longues que les jours : le jour venait, puis la nuit, puis le jour. L'un était aussi long que l'autre. Ce n'était pas comme dans mon pays où les nuits sont courtes en été et longues en hiver.

– A quoi pensiez-vous la nuit?

– Je pensais surtout à une chose, je pensais à un bateau. Parfois aussi, je rêvais que ce bateau m'appartenait, que je le lançais, que je le dirigeais. C'était un bon et fort bateau, qui tenait bien la mer. Mais il n'avait pas besoin d'être grand; il me suffisait qu'il eût cinq tonnes. Une petite corvette aurait bien fait mon affaire; l'arrière aurait été bleu et j'aurais découpé des étoiles autour des fenêtres des cabines.

« Ma maison paternelle se trouve à Marstal, au Danemark. Lars Jensen Bager, qui était un ami de mon père, m'aiderait à construire mon bateau. Avec ce bateau, je ferais le commerce de blé entre Bandholm, Skelskor et Copenhague. Je n'avais pas envie de mourir avant de posséder ce bateau. Quand le *Barracuda* m'a recueilli, j'ai pensé que c'était ma première étape en direction de mon bateau, et c'est pourquoi j'étais content. Et lorsque je vous ai rencontré, Monsieur, et que vous m'avez demandé si je voulais gagner cinq guinées, j'ai su que j'avais eu raison de quitter mon île. C'est pourquoi je vous ai suivi.

– Vous êtes jeune, dit Mr Clay une fois encore, et vous avez certainement pensé aux femmes sur votre île.

Le jeune garçon ne répondit pas tout de suite; il regardait droit devant lui; on aurait pu croire qu'il avait perdu le souvenir du langage. Enfin il répondit :

– Sur le *Barracuda,* et sur l'*Amelia Scott,* les autres marins parlaient de leurs amoureuses. Je sais, je sais très bien ce que vous attendez de moi cette nuit pour vos cinq guinées. Je vaux n'importe quel autre marin sur ce point-là. Vous n'aurez aucune raison de vous plaindre de moi, patron, et votre dame, qui m'attend, n'aura pas lieu de se plaindre, elle non plus.

Pour la troisième fois, une brusque rougeur monta au front du jeune garçon. La rougeur s'atténua, puis augmenta de nouveau, et resta perceptible sous son hâle, comme une couche plus foncée. Le marin se redressa de toute sa taille, il était très grave :

– Tout bien réfléchi, dit-il, je ferais mieux d'aller retrouver mon navire, et vous, Monsieur, vous choisirez un autre marin pour votre affaire.

Tout en parlant, il enfonça la main dans sa poche.

La délicate teinte rosée disparut sur les joues de Mr Clay, qui s'écria :

– Non, non! Je ne veux pas que vous retourniez sur votre navire. Vous avez été jeté sur une île déserte; vous n'avez parlé à âme qui vive pendant un an. J'aime à me représenter ce qui vous est arrivé. Je puis me servir de vous, et je ne prendrai pas d'autre marin pour faire ce que je veux.

L'invité de Mr Clay fit un pas en avant. Il avait l'air d'un géant avec sa haute taille et sa large carrure, et Mr Clay se cramponna des deux mains à son fauteuil. Des hommes désespérés l'avaient menacé à plusieurs reprises, et il les avait matés par la puissance de sa fortune, ou par la force de son esprit froid et mordant. Mais cet individu en colère, qui se dressait devant lui, était trop simple pour céder soit à la fortune, soit à la force de l'esprit. De tels arguments n'auraient aucune prise sur lui.

Peut-être avait-il enfoncé la main dans sa poche pour en tirer le couteau dont il venait de parler. Etait-ce donc une affaire de vie ou de mort que de vouloir matérialiser un conte?

Le marin sortit de sa poche la pièce d'or, que lui avait donnée Mr Clay, et la tendit au vieillard, en disant :

– Vous feriez mieux de ne pas me retenir. Vous êtes très vieux, et vous n'avez guère de forces pour me résister. Merci pour la nourriture et pour le vin. Je vais retrouver mon navire. Bonne nuit, Monsieur!

Dans sa surprise et son anxiété, Mr Clay ne

parvint à parler que très bas, et d'une voix enrouée, mais il parla :

– Et votre bateau à vous, mon beau marin, dit-il, le bateau qui doit vous appartenir à vous seul; ce bateau de cinq tonnes, qui tient si bien la mer et qui doit transporter un chargement de blé de votre pays à Copenhague. Qu'adviendra-t-il puisque vous me rendez les cinq guinées, et que vous vous en allez ? Ce ne sera plus qu'une histoire que vous m'aurez racontée. Jamais vous ne le lancerez, jamais il ne naviguera.

Une minute s'écoula... puis le garçon remit la pièce d'or dans sa poche.

XII. LE DISCOURS DU VIEUX MONSIEUR DANS L'HISTOIRE

Pendant la conversation du nabab et du marin dans la salle à manger brillamment éclairée, Virginie, dans la chambre à coucher, se préparait à jouer son rôle : le rôle de l'héroïne de l'histoire de Mr Clay. Les lumières avaient été doucement tamisées pour la nuit par des abat-jour roses.

Virginie venait de renvoyer la petite bonne chinoise, qui l'avait aidée à ranger la pièce et à l'embellir par tous les objets susceptibles de lui donner l'apparence d'une chambre de femme élégante.

Elle s'était arrêtée brusquement de travailler à deux ou trois reprises, disant à la jeune fille qu'elles allaient immédiatement quitter la maison, toutes deux. Mais, à présent, Virginie était seule, et ne songeait plus à fuir.

La chambre où elle se trouvait avait été celle de ses parents. Le dimanche matin, on permettait aux enfants de venir jouer dans le grand lit. Le père et la mère de Virginie, qui pendant bien longtemps avaient été si loin de sa pensée, étaient près d'elle cette nuit. Elle rentrait dans leur ancienne maison avec leur consentement. Pour eux, comme pour elle, cette nuit verrait le jugement de leur vieil ennemi mortel. Le déshonneur et l'humiliation de leur fille constituaient des témoignages concluants à sa charge. La fille, comme elle en avait fait le vœu longtemps auparavant, n'assisterait pas au verdict, mais le père et la mère, qui étaient dans la tombe, seraient là, pour regarder le coupable en face.

Les objets qui avaient servi à embellir la chambre à coucher d'une nuit, les statuettes, les éventails chinois, les bouquets, étaient semblables à ceux que Virginie se souvenait d'avoir vus dans son enfance, et qui avaient été si tristement brûlés, ou détruits par son père, avant que Mr Clay prît possession de la maison. Un petit nombre de bibelots venaient de l'appartement personnel de Virginie. De cette façon, Virginie avait relié sa morne existence des dix dernières années au passé innocent de son enfance. M. et Mme Dupont se seraient retrouvés chez eux.

L'installation de la chambre terminée, Virginie se préoccupa de se parer elle-même. Elle se mit à la tâche solennellement, et avec une sombre énergie : telle Judith dans la tente des Babyloniens préparant son visage et son corps pour sa rencontre avec Holopherne. Cependant son travail l'absorba bientôt si complètement qu'elle en oublia le reste, comme avait sans doute fait Judith.

Virginie était une honnête personne dans les

affaires d'argent. Elle avait consciencieusement et largement entamé les trois cents guinées de Mr Clay pour acheter tout ce que réclamait son rôle. Elle avait un faible pour les dentelles, et disparaissait en cet instant dans un nuage de Valenciennes. Un collier de corail entourait son cou; elle portait des boucles d'oreille de perles et des mules de satin rose. Elle avait poudré et fardé son visage, noirci ses sourcils, rougi ses lèvres pleines. Sa chevelure retombait en boucles brunes et soyeuses sur ses épaules rondes. Elle avait parfumé sa gorge et ses bras.

Son œuvre terminée, Virginie alla gravement consulter l'une après l'autre les grandes glaces qui couvraient les murs. Les glaces avaient réfléchi son image de petite fille, elles lui révélaient alors qu'elle était jolie et gracieuse. En s'y mirant aujourd'hui elle se souvenait qu'à l'âge de douze ans elle les avait suppliées de lui faire voir ce qu'elle serait plus tard, quand elle serait une dame. Mais l'enfant, elle le savait en cet instant, n'aurait jamais pu espérer se faire voir sous un jour plus doux, plus rosé. Ses rêves n'auraient pu lui représenter dame plus charmante, plus ensorcelante.

La passion de Virginie pour l'art dramatique, qu'elle avait héritée de son père, et qu'il encourageait, vint à son aide à l'heure de la détresse. Si elle n'était pas, aujourd'hui, conforme à l'image réfléchie par les miroirs, les affaires de son père, elles non plus, n'avaient jamais été exactement ce qu'elles semblaient être.

Tout en faisant ces réflexions, elle ôta ses mules de satin rose et glissa son beau corps, svelte et musclé, entre les draps fins garnis de dentelles, et ses cheveux noirs, soyeux, se répandirent sur l'oreiller.

Virginie, qui avait été absorbée par sa rancune contre son ennemi, ne songeait plus, en cet instant, qu'à sa propre personne. Ce ne fut que lorsqu'elle entendit un pas lourd dans le corridor qu'elle accorda sa pensée au troisième personnage de l'histoire, à l'inconnu qu'elle allait recevoir cette nuit. L'espace d'une seconde, elle frissonna en se représentant la marionnette embauchée et subornée par Mr Clay.

Quand la poignée de la porte tourna, elle baissa les yeux, et elle continua à fixer uniquement son drap, jusqu'à ce que le battant s'ouvrît de nouveau, puis se refermât. Cette façon d'ignorer une présence exprimait plus de volonté et d'énergie que tout regard chargé de la haine la plus inflexible, la plus mortelle.

Vêtu de sa longue robe de chambre de soie de Chine, Mr Clay entra dans la chambre; il s'appuyait sur une canne. Derrière lui, à distance respectueuse, une grande ombre indistincte apparut et franchit lentement le seuil.

L'unique verre de vin qu'il avait bu avec son invité n'avait pas manqué de faire son effet sur le vieillard, auquel la goutte avait infligé tant de nuits blanches. Quelques minutes auparavant, il avait aussi été légèrement pris de peur. Pour lui qui avait fait peur à bon nombre de ses semblables, la peur était une expérience singulière, et de nature à lui fouetter le sang d'une manière toute nouvelle. Mais une liqueur bien plus forte encore avait grisé Mr Clay : cette nuit, il se mouvait dans un monde créé par lui, un monde né de sa parole.

Sa victoire l'avait vieilli. En quelques heures, ses cheveux blancs semblaient avoir blanchi davantage; mais, en même temps, elle l'avait étrangement rajeuni. Cette heure était pour lui l'heure de la conquête, l'heure de la domination.

Aux prises avec les forces qui avaient osé le défier, il les annihilait. Il sentait obscurément qu'il triomphait de celui qui avait tenté de renverser sa conception du monde, c'est-à-dire du prophète Esaïe.

Mr Clay eut un léger sourire; il s'avança en chancelant, la beauté d'une femme l'émouvait pour la première fois de sa vie. Il contemplait presque avec bonheur la fille couchée dans ce lit : cette fille qu'il avait appelée à l'existence. Pendant un instant très bref il eut la vision d'une enfant que son père lui avait amenée avec orgueil. Puis la vision disparut. Mr Clay eut un hochement de tête approbateur : ses marionnettes se comportaient bien. L'héroïne de son histoire était rose et blanche, et ses yeux baissés témoignaient des alarmes de sa pudeur. L'histoire se déroulerait dans le bon sens. Le moment était venu de faire un discours, tel le vieux monsieur du conte. Mr Clay se rappelait ce discours mot pour mot depuis la nuit au large du cap de Bonne-Espérance, cinquante ans plus tôt. Mais la conscience de son pouvoir montait quelque peu à la tête du nabab de Canton.

Le prophète Esaïe est rusé; sous ses airs pieux il dissimule son habileté et ses ressources. L'enfance de Mr Clay n'avait duré que le temps qu'il avait mis à apprendre à parler et à comprendre le langage des autres gens. Et maintenant qu'il était sur le point d'atteindre au zénith de sa puissance, le prophète posait sa main sur sa tête, et refaisait de lui un enfant. En d'autres termes, ce vieil homme entrait tout doucement dans la seconde enfance. Il commençait à jouer avec son histoire, et ne pouvait renoncer au sujet de la conversation à table.

– Vous, fit-il, en pointant son index vers la jeune fille couchée dans le lit, puis indiquant le marin du même geste, mais sans le regarder, et vous! êtes de jeunes gens. Vous êtes bien portants, vos membres ne sont pas douloureux, vous dormez pendant la nuit. Et, parce que vous pouvez marcher et vous mouvoir sans souffrir, vous croyez que vous marchez, et bougez, par votre volonté. Mais il n'en est rien! Vous marchez et bougez sur mon ordre. Vous êtes en réalité deux pantins, jeunes, forts, et avides de plaisir, dans mes vieilles mains.

Il s'arrêta, souriant toujours de son petit sourire cruel; puis reprit :

– C'est ainsi, je vous l'ai dit, que sont tous les pantins dans une main forte; c'est ainsi que sont tous les pantins pauvres dans la main des riches; les imbéciles dans les mains des intelligents. Ces mains-là tirent les ficelles, et les pantins dansent ou s'affaissent.

Mr Clay termina son discours en ces termes :

– Quand je serai parti, et que vous serez livrés à vous-mêmes, vous croirez que vous obéissez aux ordres de votre jeune sang. Mais vous ne ferez que ce que je veux que vous fassiez : vous agirez conformément au plan de mon histoire. Cette nuit, la chambre, le lit, vous-mêmes et votre jeunesse, ne serez qu'une histoire dont ma volonté a fait, d'un mot, une réalité.

Mr Clay ne sortit de la pièce qu'à regret. Appuyé sur sa canne, il s'attarda au pied du lit pendant une minute encore. Puis, avec une noble dignité, il tourna le dos aux acteurs, qui allaient jouer leur rôle sur la scène de sa toute-puissance. Quand il ouvrit la porte, Virginie leva les yeux : elle vit l'assassin de son père disparaître dans le couloir. La longue robe de chambre chinoise de Mr Clay balaya le plancher, mais fut prise dans la porte qui se refermait, et le vieillard dut ouvrir cette porte une deuxième fois.

XIII. LA RENCONTRE

La pièce retomba dans un silence absolu.

Quand la porte fut définitivement close, le jeune garçon fit deux pas en avant, et Virginie tourna vers lui son visage. Elle ressentit alors une frayeur mortelle, et en oublia sa mission, ne désirant plus que se retrouver chez elle, même sous la protection de Charley Simpson, quelque médiocre que fût cette protection. Car le personnage, debout au pied de son lit, n'était pas un de ces marins ordinaires qui déambulaient dans les rues de Canton. C'était un animal sauvage et gigantesque, qui venait l'écraser sous son poids.

Lui la regardait fixement, un souffle puissant soulevait et abaissait alternativement sa large poitrine, mais, à part cela, il restait absolument silencieux. Il finit cependant par dire :

– Je pense que vous êtes la plus belle fille qui existe au monde.

Et Virginie s'aperçut qu'elle avait affaire à un enfant.

Le marin lui demanda :

– Quel âge avez-vous?

Elle ne sut que dire, la sombre tragédie de sa vie allait-elle tourner en comédie? Le jeune homme, qui attendait une réponse, posa une nouvelle question :

– Avez-vous dix-sept ans?

– Oui, dit Virginie.

Au son de sa propre voix, qui prononçait ces mots, ses traits prirent une expression plus douce :

– Alors, nous sommes du même âge.

Le matelot fit un pas de plus, et s'assit sur le bord du lit :

– Comment vous appelez-vous ?

– Virginie.

Il répéta par deux fois ce nom de Virginie et resta quelque temps à regarder la jeune femme; puis il se coucha doucement à côté d'elle, sur le bord de la courtepointe. En dépit de sa taille, il se mouvait légèrement et avec aisance. Elle l'entendit qui respirait plus vite, puis il retint son souffle et poussa un faible gémissement, comme si une force se libérait en lui. Ils restèrent ainsi pendant assez longtemps.

– Il faut que je vous dise quelque chose, fit-il brusquement, à voix basse. Je n'ai jamais couché avec une fille avant cette nuit. J'ai eu l'intention de le faire à plusieurs reprises, mais je ne l'ai jamais fait.

Il se tut, attendant ce qu'elle allait répondre. Comme elle ne dit rien, il poursuivit :

– Ce n'était pas tout à fait de ma faute. J'ai vécu pendant des mois dans un endroit loin de tout, où il n'y avait pas de filles.

Il s'arrêta encore, puis recommença de nouveau à parler :

– Je n'en ai jamais rien dit aux autres, sur le navire, et pas non plus aux amis avec lesquels je suis descendu à terre cette nuit. Mais j'ai pensé qu'il valait mieux que vous le sachiez.

Virginie se retourna vers lui presque malgré elle. Le visage qui touchait son visage à elle était en feu. Il reprit :

– Quand j'étais dans cet endroit, si loin d'ici,

dont je vous ai parlé, je m'imaginais parfois qu'une jeune fille, qui était mienne vivait avec moi. Je lui apportais des œufs d'oiseaux et des poissons, et quelques-uns de ces gros fruits, qui mûrissent là-bas, mais dont je ne connais pas le nom. Cette fille était gentille pour moi. Nous couchions ensemble dans une grotte que j'avais découverte au bout de trois mois de séjour dans mon île. Quand la pleine lune brillait, elle éclairait notre grotte. Mais je ne savais de quel nom appeler ma compagne, je ne me souvenais d'aucun nom de femme.

Il murmura : « Virginie... Virginie... » et une fois encore : « Virginie ! »

Soudain, il souleva la courtepointe et le drap et se glissa dessous. Bien qu'elle restât encore à quelque distance, elle sentait la présence de ce jeune corps, robuste et souple.

Un peu plus tard, il étendit la main et effleura celle de Virginie. La chemise de nuit de dentelle s'était un peu soulevée sur les jambes et, lentement, très lentement, le garçon avança une main pour toucher le genou rond et nu. Il s'arrêta un peu, ses doigts caressèrent la peau fine; puis il retira la main et son genou maigre et dur vint la remplacer.

Un instant plus tard, Virginie, épouvantée, se mit à crier :

– Mon Dieu ! Mon Dieu ! Lâchez-moi pour l'amour de Dieu ! Il y a un tremblement de terre, ne sentez-vous pas que la terre tremble ?

– Non ! haleta le jeune garçon, ce n'est pas un tremblement de terre, ce n'est que moi.

XIV. LA SÉPARATION

Lorsqu'il finit par s'endormir, il la tenait serrée comme dans un étau; son visage se pressait contre celui de Virginie et il respirait paisiblement.

Virginie, qui avait pensé à tant de choses en ces derniers temps, ne dormait pas et ne pensait à rien. Jamais encore elle n'avait rencontré pareille force. Il eût été inutile et vain pour elle d'agir par elle-même. Cette puissance, qui l'enveloppait toute, lui apparaissait comme une sorte de réalité inconnue jusqu'alors et auprès de laquelle tout le reste semblait vide et artificiel.

Elle s'était souvenue tout à coup au milieu de la nuit des récits que lui faisait sa mère, sur sa propre famille, tous des marins de Bretagne. De vieilles chansons françaises, relatant les dangers qui attendent le navigateur et ses retours au foyer, lui revenaient à la mémoire. A la fin, elle se rappela, comme venant de très loin, la chanson de la femme du marin, qui chante près du berceau de son nourrisson.

Dans la nuit, lorsque le jeune garçon se réveilla, il se comporta, à l'égard de Virginie, comme un ours devant un rayon de miel. Il poussa de véritables grognements de concupiscence et d'extase. Ils échangèrent par deux fois quelques paroles :

– Sur le bateau, j'ai parfois composé une chanson, dit-il.

– De quoi parlait votre chanson?

– De la mer, de la vie des marins et de leur mort.

– Dites-moi une strophe.

Il hésita un peu, puis se mit à réciter :

Pendant que j'étais de quart au milieu de la
[nuit
Il faisait froid
Trois cygnes volèrent vers la lune,
Ils passèrent devant son visage d'or.

Il répéta, un peu gêné, d'or... et, après un court silence, il dit :

– Une pièce de cinq guinées est pareille à la lune, et pourtant, elle n'est pas pareille.

– Avez-vous composé d'autres chansons? demanda Virginie, qui ne comprenait pas ce qu'entendait le marin, mais ne voulait pas l'ennuyer par ses questions.

– Oui, j'en ai composé d'autres sur mon bateau.

– Récitez-m'en quelques-unes.

Il récita encore :

Quand le ciel est brun et que la mer bâille,
Creusant des abîmes de trois mille brasses
Et que le bateau s'enfonce comme une
[baleine,
Paul Velling ne pâlit pas.

– Est-ce votre nom?

– Oui, je m'appelle Paul. Ce n'est pas un vilain nom. Mon père s'appelait Paul et son père aussi. C'est le nom de braves marins fidèles à leurs bateaux. Mon père s'est noyé six mois avant ma naissance. Il est au fond de l'eau.

– Mais vous n'allez pas vous noyer, vous, Paul?

– Peut-être que non, mais je me suis demandé souvent à quoi avait pensé mon père quand la mer a fini par le prendre.

– Aimez-vous vous représenter ce genre de choses ? interrogea Virginie, un peu effarée.

Il réfléchit à la question, puis il dit :

– Oui ! Il est bon de penser à la tempête et à la mer démontée, l'idée de la mort n'a rien de pénible.

Un peu plus tard, le marin poussa une exclamation, mais presque sans élever la voix :

– Il faut que je regagne le navire dès l'aube : il fait voile ce matin.

Ces mots éveillèrent une résonance douloureuse dans le corps même de Virginie, mais, l'instant d'après, elle fut à nouveau comme annihilée par la violence du marin et ils se rendormirent dans les bras l'un de l'autre.

Elle se réveilla aux premières lueurs grises qui filtrèrent entre les rideaux. Le jeune garçon avait desserré son étreinte, mais dans son profond sommeil, il gardait encore entre les siennes une des mains de Virginie.

Une seule pensée s'empara de l'esprit de Virginie dès son réveil. Jamais encore elle n'avait été absorbée à ce point par une préoccupation unique, à l'exclusion de toute autre :

« Quand il le verra à la lumière du jour, se dit-elle, mon visage lui apparaîtra vieux, poudré, fardé : c'est le visage d'une vieille femme perverse. »

Elle suivait anxieusement les progrès de la lumière : « Il me reste encore dix minutes... encore cinq minutes », pensait-elle, et elle sentait son cœur s'alourdir de plus en plus dans sa poitrine. Et puis ce fut l'heure ! Elle appela par deux fois le dormeur.

Quand il se réveilla, elle lui dit de se lever, s'il voulait retrouver son bateau avant qu'il mît à la voile. Lui, sans répondre, prit la main de Virginie et l'appuya contre sa joue avec un sanglot étouffé. Un oiseau chanta dans le jardin et Virginie dit :

– Ecoute, Paul, un oiseau chante; les chandelles sont toutes consumées, la nuit est finie.

Soudain, comme un animal qui bondit sur sa proie, il la tira hors du lit, la prit dans ses bras et l'emporta :

– Viens! cria-t-il. Viens avec moi loin d'ici!

Le son de sa voix était à la fois mélodieux comme un chant et terrible comme le hurlement de la tempête. Il la soulevait plus haut que ses bras. Il cria encore :

– Je t'emmènerai dans le navire, je t'y cacherai dans la cale et je te conduirai chez moi.

Elle s'appuya des deux mains contre la poitrine du jeune homme pour le repousser et le sentit haleter comme un soufflet de forge; mais, elle-même, ne parvint qu'à le faire vaciller un peu, comme un arbre au souffle du vent, tant il la tenait étroitement embrassée. Il resserra encore davantage son étreinte et la souleva très haut, comme s'il eût voulu la jeter sur son épaule.

– Je ne te quitterai pas, fit-il d'un ton qui n'admettait pas de réplique. Te quitter maintenant que tu es à moi? Jamais, jamais, jamais!

A ce moment-là, Virginie aperçut leurs deux silhouettes imprécises dans un des miroirs. Elle n'aurait pu souhaiter vision plus dramatique. Le jeune garçon, d'une taille dépassant toute mesure humaine, apparaissait formidable, comme un ours furieux dressé sur ses pattes de derrière, et balançait son bras droit en l'air. Et elle, Virginie, ses longs cheveux flottant derrière elle, restait captive comme une proie sans défense dans son bras gauche. En se débattant, elle réussit à poser un de ses pieds par terre. Le marin la sentit trembler, il ne la lâcha pas, mais la laissa reprendre son équilibre.

– De qui as-tu peur? fit-il, en l'obligeant à le regarder. Crois-tu donc que je permettrai à qui que ce soit de t'arracher de mes bras? Tu viendras chez moi. Tu ne craindras ni les tempêtes ni les tourmentes de neige quand je serai avec toi. Tu n'auras jamais rien à craindre au Danemark. Nous dormirons l'un près de l'autre toutes les nuits, comme cette nuit... comme cette nuit.

La terreur mortelle de Virginie n'avait rien à voir avec les tempêtes, les tourmentes de neige ou les vagues en furie. En cet instant, la mort elle-même ne l'effrayait pas : elle ne craignait qu'une chose, c'est qu'il aperçût son visage à la lumière du jour. Au début, elle n'osa pas parler, car elle n'était pas sûre d'elle et savait qu'elle pourrait se trahir. Mais, quand elle se retrouva les deux pieds par terre, elle chercha désespérément le moyen de s'enfuir :

– Tu ne peux m'emporter, dit-elle. Il t'a payé!

– Quoi? s'écria-t-il effaré.

– Le vieux t'a payé; il t'a payé pour partir à l'aube. Tu as accepté son argent!

Quand il saisit le sens de ces paroles, il pâlit et lâcha Virginie avec une telle soudaineté qu'elle chancela.

– C'est vrai, fit-il lentement; il m'a payé et j'ai pris son argent. Mais, s'écria-t-il, à ce moment-là, je ne savais pas.

Il fixait le vide devant lui et au-dessus de la tête de Virginie en murmurant avec effort :

– Je le lui ai promis!

Sa tête tomba lourdement sur l'épaule de la femme; il enfonça son visage dans ses cheveux et dans sa chair, en gémissant. Puis il la reprit dans ses bras, la porta sur le lit et s'assit à côté d'elle en fermant les yeux. A tout instant, il la soulevait, pressait son corps contre le sien et la recouchait à nouveau.

Virginie était plus calme tant qu'il gardait ses yeux fermés. Elle repassa par la pensée les courts instants de leur intimité pour trouver que lui dire :

– Tu auras ton bateau, fit-elle enfin.

Il répondit après un long silence :

– Oui, j'aurai mon bateau!

Mais, un peu plus tard, il lui demanda :

– Ne m'as-tu pas dit que j'aurais mon bateau?

Il la souleva un peu plus et la prit longuement dans ses bras; puis il reprit :

– Et toi, qu'auras-tu? Et toi? Que va-t-il advenir de toi, mon amour?

Virginie se tut.

– Il faut donc que je parte. Il faut que je rejoigne le navire, dit-il, paraissant écouter une voix, et il murmura :

« Un oiseau chante, les bougies sont consumées; la nuit est finie, il faut partir. »

Mais il ne partit qu'un peu plus tard.

– Adieu, Virginie! Tu t'appelles Virginie. Mon bateau portera ton nom. Je lui donnerai nos deux noms : Paul et Virginie. Nos deux noms se liront sur sa coque, quand il naviguera dans le Storstroem et la baie de Koege.

– Te souviendras-tu de moi? dit Virginie.

– Oui, dit le marin, toujours; pendant toute ma vie.

Et il se leva en répétant :

– Je penserai à toi pendant toute ma vie. Comment ne penserais-je pas à toi dans mon bateau. Je penserai à toi en étarquant la voile, et quand je lèverai l'ancre, et aussi quand je jetterai l'ancre. Je penserai à toi le matin, en entendant chanter les oiseaux. Je penserai à ton corps, à ton parfum. Jamais, je ne penserai à une autre fille, parce que tu es la plus belle fille du monde.

Elle l'accompagna jusqu'à la porte et lui entoura le cou de ses bras. Cette partie de la pièce, loin de la fenêtre, restait sombre. Et, tout à coup, Virginie s'entendit pleurer.

« Il me reste une minute », pensa-t-elle pendant qu'ils s'embrassaient, et elle dit :

– Regarde-moi, regarde-moi, Paul !

Il la contempla gravement.

– Rappelle-toi mon visage, dit-elle encore; regarde-le bien et ne l'oublie pas. Rappelle-toi que j'ai dix-sept ans. Rappelle-toi que je n'ai jamais aimé que toi.

Il répondit :

– Je me souviendrai de tout. Je n'oublierai jamais ton visage.

Elle se cramponnait à lui, le visage levé vers celui du marin; puis elle sentit qu'il se dégageait de ses bras :

– Il faut que je parte ! dit-il.

XV. LE COQUILLAGE

A l'aube de ce même jour, Elishama traversa l'allée sablée de Mr Clay et entra dans la maison, dans l'intention d'être à sa manière tranquille la conclusion, ou l'épilogue, de l'histoire. La table était encore mise dans la vaste salle à manger, et il restait un peu de vin au fond des verres; les bougies s'étaient éteintes; seule, une dernière petite flamme vacillait sur un chandelier. Mr Clay, lui aussi, se trouvait encore à sa place, dans son grand fauteuil garni de coussins. Ses pieds reposaient sur une chaise. Il ne s'était pas couché, attendant le matin, pour vider, au lever du soleil, la coupe de son triomphe. Mais la coupe du triomphe s'était avérée trop forte pour lui.

Elishama garda pendant un moment une immobilité aussi complète que celle du vieillard lui-même. Jusqu'à présent, il n'avait jamais vu dormir son maître et, à force d'entendre les plaintes et les lamentations de Mr Clay, il en avait conclu qu'il ne serait jamais témoin de son sommeil.

« Eh bien! se dit-il, Mr Clay avait raison : il a trouvé le vrai remède efficace contre ses douleurs. La matérialisation d'une histoire est une expérience de nature à donner du repos aux gens. »

Les yeux pâles du vieillard étaient légèrement entrouverts; sur ses lèvres minces grimaçait un léger sourire. Son visage était gris, comme les mains décharnées posées sur ses genoux. Sous les innombrables plis de sa robe de chambre, on s'imaginait difficilement un corps reliant cette tête et ces membres. Mais, ce matin-là, le personnage orgueilleux et inflexible, craint par des milliers de gens, avait l'air d'un pantin, dont celui qui tirait les ficelles les a brusquement lâchées.

Son serviteur, et confident, s'assit sur une chaise, s'attendant à percevoir, comme d'ordinaire, le souffle haletant et gémissant du vieillard. Mais le plus complet silence régnait dans la pièce. Elishama récita, en son for intérieur, les paroles de Prospero :

La tristesse et les soupirs s'enfuiront.

Le jeune homme resta longtemps près de Mr Clay. Il réfléchissait aux événements de la nuit et à la condition humaine en général. « Qu'est-il arrivé, se demandait-il, aux trois personnes, qui, chacune pour leur part, ont joué leur rôle dans l'histoire de Mr Clay ? Auraient-elles pu ne pas jouer ce rôle ? »

« Il est dur, se disait-il comme il l'avait fait bien d'autres fois, il est dur pour des gens de tant désirer certaines choses qu'ils ne peuvent obtenir. D'ailleurs, il est dur également d'obtenir ce que l'on désire. »

Au bout d'un certain temps, Elishama se demanda s'il ne devait pas toucher le corps immobile en face de lui, afin de manifester par ce geste son intention de réveiller Mr Clay pour son triomphe, c'est-à-dire la fin de l'histoire. Mais, encore une fois, il résolut d'attendre un peu et d'observer d'abord par lui-même comment se présentait cette fin. Il sortit donc en silence de la pièce pour aller jusqu'à la porte de la chambre à coucher.

De l'intérieur partait un bruit de voix : deux personnes parlaient à la fois. Qu'était-il advenu à ces deux êtres au cours de la nuit, et que leur arrivait-il à présent ? N'auraient-elles pu se passer de cette aventure ? Quelqu'un pleurait dans la chambre; c'était une voix brisée, étouffée par les larmes, qui parvenait à Elishama. Celui-ci se souvint une fois de plus de la prophétie d'Esaïe :

De l'eau jaillira dans le désert,
La terre brûlée deviendra un étang.

Un peu plus tard, la porte s'ouvrit : deux êtres s'embrassèrent, se cramponnant l'un à l'autre sur le seuil. Puis ils se séparèrent; l'un rentra dans la pièce et disparut; l'autre sortit et ferma la porte derrière lui.

Le marin de la nuit précédente s'arrêta un instant près de cette porte close et regarda autour de lui, puis il s'en alla.

Elishama fit un pas en avant. Son loyalisme envers son maître exigeait qu'il reçût, des lèvres mêmes du jeune garçon, l'attestation de la victoire de Mr Clay. Le marin le regarda d'un air grave, et dit :

– Je vais rejoindre mon bateau, dites au vieux monsieur que je suis parti.

Elishama s'aperçut alors qu'il s'était trompé la veille au soir : ce garçon n'était pas aussi jeune qu'il l'avait cru. Mais peu importait, en somme. De longues années passeraient de toute façon avant qu'ayant atteint l'âge de Mr Clay, il fût paisiblement au repos dans son fauteuil. Pendant longtemps encore, il mènerait une vie hasardeuse, dépendant des caprices des éléments ou de ses propres caprices.

L'employé prit sur lui de régler les affaires de son maître :

– C'est vous maintenant qui pourrez raconter l'histoire.

– Quelle histoire?

– Toute l'histoire. Quand vous raconterez ce qui vous est arrivé, ce que vous avez vu et fait, depuis hier au soir jusqu'à ce matin, vous aurez raconté toute l'histoire. Vous êtes le seul marin du monde qui puisse la raconter honnêtement du commencement à la fin, dans tous ses détails; telle qu'elle vous est réellement arrivée à vous-même.

Le marin considéra Elishama pendant un long moment sans rien dire; enfin, il murmura :

– Ce qui m'est arrivé à moi, ce que j'ai vu et fait depuis hier soir jusqu'à présent? et un peu après, il ajouta : Pourquoi appelez-vous cela une histoire?

– Parce que vous-même avez entendu raconter cette histoire : l'histoire d'un marin qui aborde dans une grande ville. Il se promène dans une rue voisine du port, lorsqu'une voiture s'arrête près de lui : un vieux monsieur en descend et lui dit : « Vous êtes un marin de bonne mine; vous plairait-il de gagner cinq guinées cette nuit? »

Le jeune garçon ne fit pas un geste, mais Elishama voyait qu'il était capable de rassembler toutes ses forces d'une manière soudaine et imperceptible, et d'en faire usage avec une violence inouïe. La vie de quiconque l'outrageait ne valait plus cher. C'est ainsi qu'il avait effrayé Mr Clay, lors de leur première rencontre dans la rue; c'est ainsi qu'il lui avait fait carrément peur, un peu plus tard, dans la salle à manger. Elishama, qui ne connaissait pas la peur, ne put se défendre d'une certaine émotion, et même il s'écarta un peu de cette créature gigantesque, non parce qu'elle l'effrayait, mais parce qu'il éprouvait pour elle cette étrange sympathie, cette sorte de compassion que lui avaient toujours inspirée les femmes, et les oiseaux. Mais il s'avéra que la gigantesque créature était une brute pacifique.

Après un court silence, le marin dit simplement :

– Cette histoire-là n'est pas du tout la mienne.

Et il poursuivit :

– Vous dites que je la raconterai. A qui faudrait-il que je la raconte ? Mais à qui ? Qui donc, en ce monde, me croirait, si je la raconte ?

Et toute sa force accumulée passa dans la dernière phrase.

– Je ne la raconterais pas pour cent fois cinq guinées.

Elishama ouvrit la porte de la maison à l'hôte qu'elle avait hébergé pendant la nuit. Au-dehors, les arbres et les fleurs de Mr Clay, trempés par la rosée, brillaient de fraîcheur à la lumière matinale, comme au premier jour de la création. Un des paons de Mr Clay se promenait sur la pelouse. Sa queue, qui traînait derrière lui, marquait l'herbe argentée d'un trait sombre, et il poussait son cri discordant. De très loin parvenaient les bruits de la ville en train de s'éveiller.

Les regards du marin tombèrent sur le baluchon, qu'il avait laissé, la veille, sur une des tables laquées de la véranda. Il le prit pour l'emporter, mais, se ravisant, il le reposa sur la table et dénoua la ficelle.

– Voulez-vous faire quelque chose pour moi ? demanda-t-il à Elishama.

– Oui ! répondit Elishama.

Le marin reprit :

– Je me suis trouvé, il y a longtemps, sur une île, dont la grève était couverte de milliers de coquillages. Quelques-uns étaient très beaux; peut-être étaient-ils rares ? Peut-être n'y en avait-il de cette espèce que sur cette île ? J'en ramassais quelques-uns chaque jour, dans la matinée; j'ai pris les plus beaux pour les rapporter chez moi, au Danemark. C'était tout ce que j'avais à rapporter chez moi.

Il répandit la collection de coquillages sur la table et les examina avec soin. Il finit par choisir un gros coquillage rose et brillant, qu'il tendit à Elishama :

– Je ne les lui donnerai pas tous, dit-il; elle a tant de belles choses, et ne se soucierait pas de s'encombrer d'une masse de coquillages. Mais je crois que celui-ci est d'une espèce rare, et peut-être n'y en a-t-il pas un autre pareil à lui dans le monde entier.

Il promena lentement ses doigts sur le coquillage, et murmura :

– Il est doux et lisse comme un genou, et quand vous l'approchez de votre oreille, vous croyez l'entendre chanter. Voulez-vous le lui donner de ma part? Et voulez-vous lui dire de l'approcher de son oreille?

Il le tint contre sa propre oreille, et aussitôt son visage prit une expression attentive et paisible.

Elishama pensa qu'après tout il avait eu raison, la veille, de croire que le marin était très jeune.

– Oui, dit-il, je n'oublierai pas de le lui donner.

– Et vous rappellerez-vous de lui dire qu'elle doit l'approcher de son oreille?

– Oui, répéta Elishama.

– Merci et adieu! dit le marin, en tendant sa grande main à Elishama.

Il descendit les marches de la véranda, longea l'allée, son baluchon à la main, et disparut.

Elishama le suivit des yeux. Quand il ne le vit plus, il porta lui-même le coquillage à son oreille. Il entendit un bruit sourd et lointain, pareil au grondement des brisants, qu'on perçoit à une grande distance.

Le visage d'Elishama prit alors exactement l'expression de celui du marin quelques instants plus tôt. Une émotion étrange, à la fois douce et profonde, s'empara de lui, car il entendait résonner une voix nouvelle à la fois dans la maison et dans l'histoire.

– Je l'ai déjà entendue, cette voix, pensa-t-il, il y a bien, bien longtemps, mais où?

Et sa main retomba.

L'anneau

Un matin d'été, il y a cent cinquante ans, un jeune châtelain danois et sa femme allèrent se promener sur leurs terres. Ils étaient mariés depuis une semaine; leur mariage ne s'était pas fait sans peine, car la famille de la jeune épouse était plus riche, et d'un rang plus élevé, que celle de son mari. Mais les deux époux, âgés respectivement de vingt-quatre et de dix-neuf ans, étaient restés fermes dans leur décision pendant dix ans, et les parents orgueilleux avaient fini par renoncer à toute résistance.

Les nouveaux mariés se sentaient heureux : les entrevues secrètes, les lettres d'amour écrites en cachette et en pleurant, étaient aujourd'hui choses du passé. Ils ne faisaient plus qu'un devant Dieu et devant les hommes. Ils avaient le droit de se promener bras dessus bras dessous en pleine lumière; ils avaient le droit de circuler dans la même voiture, et il en serait ainsi jusqu'à la fin de leurs jours. Leur lointain paradis était descendu sur terre et, chose étonnante, le paradis n'était autre que l'ensemble des menus faits de la vie journalière : les plaisanteries, les taquineries, les déjeuners, les soupers; l'élevage des chiens, la fenaison, le soin des moutons.

Sigismond, le jeune marié, s'était juré que, du jour de leur union il n'y aurait pas une pierre sur le sentier de sa femme, et que nulle ombre ne viendrait l'attrister. Et Lovisa, la jeune épouse, avait l'impression de se mouvoir, de respirer chaque jour, et pour la première fois de sa vie en pleine liberté parce que jamais elle n'aurait de secret pour son mari.

L'atmosphère rustique de sa nouvelle existence était un sujet de surprise et de ravissement pour Lovisa, que Sigismond appelait Lise. Elle riait de tout son cœur à la pensée que Sigismond avait craint que cette existence lui parût indigne d'elle. Le temps où elle jouait à la poupée n'était pas loin, et maintenant elle se coiffait elle-même, elle s'occupait du repassage de son linge; elle arrangeait ses fleurs; elle faisait une expérience délicieuse, qui l'enchantait. Elle exécutait toutes ces petites besognes avec gravité, et très consciencieusement, sachant toutefois qu'elle ne faisait que jouer.

C'était une charmante matinée de juillet. De petits nuages floconneux voguaient très haut dans le ciel clair. Des parfums suaves remplissaient l'air.

Lise portait une robe de mousseline blanche, et un chapeau de paille italien. Son mari et elle suivirent un sentier qui serpentait dans les prés entre de petits bosquets et des groupes d'arbres, jusqu'au parc à moutons. Sigismond voulait montrer ses moutons à sa femme. Elle n'avait donc pas emmené Bijou, son petit chien blanc, qui aurait aboyé à la vue des moutons, et les aurait effrayés. Le chien de berger en aurait pris de l'humeur sans doute.

Sigismond était fier de son troupeau. Il avait étudié l'élevage des moutons au Mecklembourg et en Angleterre, et il avait ramené des béliers de Costwold pour améliorer la race danoise. Tout en cheminant, il expliquait à Lise ses grands projets, et les difficultés que rencontrait leur exécution.

De son côté, Lise pensait : « Qu'il est donc intelligent ! Que de choses il sait ! »

Mais elle se disait en même temps : « Qu'il est ridicule avec ses moutons ! C'est un vrai bébé ! J'ai cent ans de plus que lui ! »

Quand ils arrivèrent au bercail, le vieux berger, Mathias, leur apprit une triste nouvelle : un des agneaux anglais venait de mourir, et deux autres étaient malades. Lise vit que son mari prenait cette maladie très à cœur, et pendant qu'il questionnait Mathias elle resta silencieuse, se contentant de serrer tendrement le bras de Sigismond. On envoya deux garçons chercher les agneaux malades tandis que le maître et le serviteur discutaient le cas, ce qui leur prit pas mal de temps.

Lise finit par regarder autour d'elle et penser à autre chose. A deux reprises, les idées qui lui passaient par la tête la firent rougir; elle avait l'air d'une rose épanouie, et souriait de bonheur. Puis ses joues reprirent lentement leur couleur habituelle. Quant aux deux hommes, ils parlaient toujours des moutons, et tout à coup leur conversation attira l'attention de Lise. Il s'agissait cette fois d'un voleur de moutons.

Au cours des derniers mois, ce voleur avait pénétré dans les parcs à moutons du voisinage, tuant et emportant sa proie comme un loup, et, comme un loup, n'avait laissé aucune trace.

Trois jours plus tôt, un berger et son fils, employés dans un domaine à dix milles de celui de Sigismond, avaient pris le voleur sur le fait. Mais le voleur avait tué le berger, et frappé le jeune garçon de manière à lui faire perdre connaissance. Puis il avait réussi à prendre la fuite. On avait envoyé des gens de tous côtés pour s'emparer de lui, mais personne ne l'avait vu.

Lise voulut en savoir davantage sur cet horrible événement, et Mathias, pour la satisfaire, en fit une deuxième fois le récit.

Une longue bataille avait eu lieu dans la bergerie, dont le sol de terre battue était maculé de sang en plusieurs endroits. Pendant la lutte, le voleur s'était cassé le bras, mais il avait, quand même, escaladé une haute palissade en emportant un agneau sur son dos. Mathias ajouta qu'il avait envie d'étrangler l'assassin de ses propres mains, et Lise l'approuva gravement d'un signe de tête.

Elle se souvenait du loup de Robin des bois et un petit frisson presque agréable courut le long de son dos.

Sigismond pensait à ses moutons à lui, mais il était trop heureux lui-même pour souhaiter du mal à qui que ce soit en ce monde. Après un instant de silence, il dit :

– Pauvre diable!

Lise s'écria :

– Comment pouvez-vous plaindre un être aussi affreux? Grand-maman avait raison en prétendant que vous étiez un révolutionnaire et un danger pour la société.

En pensant à grand-maman, Lise se rappela ses larmes des jours passés, ce qui détourna son esprit des sinistres événements dont elle venait d'entendre parler.

Cependant, les jeunes garçons apportèrent les agneaux malades et les hommes se mirent en devoir de les examiner avec le plus grand soin. Ils essayèrent de les redresser sur leurs pattes, les palpèrent de tous côtés, faisant gémir les pauvres petites bêtes.

Lise en fut très émue et son mari s'en aperçut :

– Rentrez donc à la maison, ma chérie, dit-il. Il nous faudra un peu de temps pour terminer notre examen, mais je vous rattraperai en route !

Voilà donc qu'un mari impatient la renvoyait ! Il se souciait plus de ses moutons que de sa femme ! Mais il valait encore mieux être renvoyée que de se laisser traîner par lui pour contempler ses chers moutons.

Elle jeta sur l'herbe son grand chapeau de paille et dit à Sigismond de le lui rapporter, car elle avait envie de sentir sur son front et dans ses cheveux la caresse tiède de l'air estival. Et elle s'en alla doucement comme Sigismond le lui avait demandé, car elle désirait lui obéir en tout.

Tout en marchant, elle se sentit brusquement très heureuse d'être absolument seule, même sans Bijou. Elle ne se rappelait pas avoir jamais été absolument seule. Le paysage silencieux qui l'entourait semblait plein de promesses et le paysage était à elle, les brindilles même qui se croisaient dans l'air étaient siennes, car elles appartenaient à Sigismond, et Sigismond était son bien.

Elle suivit la lisière incurvée du bois et ne tarda pas à s'apercevoir qu'elle perdait de vue les hommes près de la bergerie. Quoi de plus doux, à présent, que de cheminer sur le sentier des prés et de se laisser rattraper par son mari !

Mais elle réfléchit qu'il serait plus doux encore d'entrer dans le bois et d'avoir disparu pour lui de la surface de la terre, quand, las de ses moutons et désireux de la retrouver, il prendrait le sentier en lacet pour la retrouver.

Tout à coup, une idée passa dans la tête de Lise et elle s'arrêta pour y réfléchir. Quelques jours plus tôt, son mari était parti à cheval et elle n'avait pas voulu l'accompagner, mais elle était allée se promener avec Bijou, dans l'intention d'explorer son domaine. Tout en gambadant, Bijou l'avait entraînée dans la forêt. Comme elle se frayait un passage à travers les buissons pour suivre le chien, elle avait débouché brusquement dans une clairière, étroit espace semblable à une petite alcôve aux draperies de brocart vert et or, juste assez grande pour contenir deux ou trois personnes.

Lise comprit qu'elle arrivait au cœur même de sa nouvelle patrie. Si elle retrouvait aujourd'hui ce refuge, elle y resterait dans le plus profond silence, cachée aux yeux du monde entier. Sigismond la chercherait partout; il serait incapable de deviner ce qu'il était advenu d'elle, et pendant une brève minute, ou peut-être même cinq, si elle était suffisamment cruelle pour persister aussi longtemps dans son entreprise, il verrait à quel point l'univers serait désert, triste et horrible, sans elle.

Elle inspecta sérieusement les alentours pour trouver la véritable entrée de sa cachette, puis elle y entra en prenant bien garde de ne faire aucun bruit.

Elle avançait, par conséquent, avec une lenteur extrême. Lorsqu'une brindille se prenait dans les volants de sa large jupe, elle la détachait doucement pour ne pas déchirer la mousseline. Une branche accrocha ses boucles dorées, elle s'arrêta les bras levés pour la faire lâcher prise. A l'intérieur du bois, la terre était humide et les pas légers de Lise ne faisaient plus le moindre bruit. La jeune femme porta d'une main son petit mouchoir à ses lèvres comme pour accentuer le mystère de cet instant.

Ayant découvert le passage qu'elle cherchait, elle écarta le feuillage pour ouvrir une porte dans son refuge sylvestre, mais son pied se prit dans l'ourlet de sa robe et elle s'arrêta pour dégager le fragile tissu.

Lorsqu'elle se redressa, elle se trouva face à face avec un homme qui occupait déjà la cachette. Il était debout, à deux pas d'elle. Il avait dû l'épier pendant qu'elle se dirigeait ainsi tout droit vers lui.

D'un seul regard, elle le vit tout entier : son visage tuméfié et écorché, ses mains et ses poignets noirs de boue, ses vêtements en loques, ses pieds nus, le tatouage autour de ses chevilles. Les bras ballants, l'homme serrait le manche d'un couteau dans sa main droite.

Il devait avoir à peu près le même âge qu'elle.

L'homme et la jeune femme se dévisagèrent. Leur rencontre dans le bois se passa, du commencement à la fin, sans une parole : ce ne fut qu'une pantomime de part et d'autre. Pour les deux acteurs, cette pantomime eut la valeur d'une éternité, alors qu'elle ne dura que quatre minutes d'horloge.

Jamais encore Lise n'avait été exposée à aucun danger. Elle ne songea pas à réfléchir sur sa situation ni à calculer le temps que mettrait son mari, ou le berger, à venir à son secours. Elle entendait précisément Mathias appeler ses chiens. Elle contempla l'homme debout devant elle comme elle aurait contemplé un esprit de la forêt.

L'apparition elle-même, et non pas les suites de sa présence, transforme le monde pour l'être humain qui la rencontre.

Bien que Lise ne quittât pas des yeux le visage en face d'elle, elle sut que l'homme se cachait dans la verte clairière. Deux sacs posés à terre faisaient office de lit. A côté des sacs gisaient quelques os rongés. On avait dû allumer un feu pendant la nuit, car le sol forestier était poudré de cendres.

Lise s'aperçut bientôt que l'homme l'observait comme elle l'observait, lui; il n'avait plus l'air tout prêt à bondir sur elle, mais dans son regard se lisait la surprise et un effort pour comprendre ce qui lui arrivait.

Et elle se vit elle-même avec les yeux de cette bête sauvage aux abois, dans son obscure cachette : blanche et silencieuse silhouette qui, pour lui, pouvait signifier la mort.

Le bras droit de l'homme se déplaça et finit par pendre droit devant lui entre ses jambes. Sans lever la main, il courba son poignet et pointa son couteau vers la gorge de Lise. Le geste était fou, inconcevable. L'homme qui faisait ce geste ne souriait pas; ses narines se distendaient, ses lèvres tremblaient légèrement. Puis il remit lentement le couteau dans sa ceinture.

Elle n'avait sur elle, en fait d'objet de valeur, que l'anneau de mariage que son mari lui avait passé au doigt une semaine plus tôt à l'église. Elle tendit à l'homme la main qui portait la bague. Elle ne concluait pas un marché pour sauver sa vie, car la peur n'était pas dans sa nature, et l'horreur que l'homme lui inspirait ne venait pas de la crainte; elle ne songeait pas au mal qu'il pourrait lui faire. Mais elle lui ordonnait, elle le conjurait de disparaître comme il était venu; d'éloigner d'elle sa redoutable présence, comme si elle n'avait jamais existé.

Ce geste muet conférait à la jeune femme la

gravité impérieuse d'une prêtresse, obligeant par un signe sacré un être monstrueux à disparaître.

L'homme tendit lentement la main vers elle, ses doigts effleurèrent ceux de Lise et la main de Lise ne trembla pas. Mais il ne prit pas l'anneau : celui-ci tomba par terre aux pieds de la jeune femme, comme était déjà tombé son mouchoir. Pendant une seconde, tous deux le suivirent des yeux. Il roula vers l'homme et s'arrêta près d'un de ses pieds nus. D'un mouvement à peine perceptible, l'homme l'envoya rouler un peu plus loin et il regarda de nouveau Lise. Ils restèrent ainsi un temps dont elle ne mesura pas la durée, mais pendant ce temps, l'aspect des choses avait changé pour elle.

L'homme se pencha pour ramasser le mouchoir. Il n'avait pas quitté Lise du regard. Il reprit son couteau et enveloppa la lame dans le petit chiffon de batiste : ce ne fut pas sans peine, car son bras gauche était cassé et, pendant qu'il s'affairait ainsi, son visage, sous la crasse et le hâle, prit une teinte blafarde, pour ainsi dire phosphorescente. S'aidant des deux mains, il rengaina son couteau une fois de plus. Soit que le fourreau, trop large, n'eût jamais convenu au couteau, soit que la lame fût trop usée, elle entra dans la gaine.

L'homme regarda Lise pendant quelques secondes encore, puis il se redressa un peu; son propre visage brillait toujours d'un étrange éclat et il ferma les yeux. Ce mouvement avait un caractère définitif et inconditionnel : il signifiait que l'homme faisait ce qu'elle lui avait demandé de faire : il allait disparaître.

Il avait disparu, elle était libre.

Elle s'écarta d'un pas du visage immobile et aveugle en face d'elle, puis, se baissant comme lorsqu'elle était entrée dans la cachette, elle se glissa au-dehors toujours en silence.

A l'orée du bois, elle s'arrêta et chercha du regard le sentier de la prairie. Elle le trouva presque aussitôt et reprit le chemin de la maison.

Son mari n'avait pas encore atteint la lisière de la forêt. Tout à coup, il l'aperçut et l'appela joyeusement. L'instant d'après, il la rejoignit. Le sentier était si étroit que Sigismond dut rester derrière Lise et il ne la toucha pas. Il lui raconta ce qu'il en était des agneaux. Elle le devançait d'un pas et se disait : « Tout est fini. »

Il remarqua enfin son silence et se rapprocha pour la regarder, puis il dit :

– Lise! Que se passe-t-il?

Elle cherchait quoi dire. Après un temps, elle répondit :

– J'ai perdu ma bague.

– Quelle bague?

– Ma bague de mariage.

En s'entendant prononcer ces mots, elle en comprit le sens : sa bague de mariage!

Par cet anneau, que l'un des acteurs du drame avait fait tomber et que l'autre avait repoussé du pied... (cet anneau qui signifie : Je me lie à toi!), par cet anneau perdu, elle s'était liée à quelque chose; mais à quoi? A la pauvreté, la persécution, la solitude totale, à la tristesse et au péché de ce monde?... Que l'homme ne sépare pas ce que Dieu a uni.

– Je te donnerai une autre bague, dit le mari. Toi et moi ne sommes qu'un, comme au jour de notre mariage, et cette bague vaudra autant que la première. Aujourd'hui, nous sommes mari et femme, tout comme hier, n'est-ce pas?

Sigismond se demanda si Lise avait entendu ce qu'il disait. Le visage de la jeune femme était comme figé et son mari s'émut de la voir prendre tellement à cœur la perte de sa bague. Il prit sa main et la baisa.

Cette main était froide; ce n'était pas tout à fait la même main qu'il avait baisée précédemment.

Il s'arrêta, l'obligeant à s'arrêter avec lui :

– Vous rappelez-vous à quel moment vous aviez encore votre bague?

– Non, dit-elle.

– Avez-vous quelque idée de l'endroit où vous l'avez perdue?

Elle répondit :

– Non! Je n'en ai pas la moindre idée.

Register Kindle
Basement
Reworld.com (entreaid

112 × 7 = 784

784 + 50 = 834

112 × 6 = 672
672 + 50 = 722
722 + 50 = 772

Impression Brodard et Taupin
à La Flèche (Sarthe),
le 26 décembre 1988.
Dépôt légal : décembre 1988.
Numéro d'imprimeur : 1307A-5.
ISBN 2-07-038095-5 / Imprimé en France.
45298